MAIGRET
CHEZ LE MINISTRE

GEORGES SIMENON

MAIGRET
CHEZ
LE MINISTRE

roman

PRESSES DE LA CITÉ

© *Georges Simenon*, 1954.

ISBN 2-258-00301-6

1

LE RAPPORT DE FEU CALAME

COMME toujours quand il rentrait chez lui le soir, au même endroit du trottoir, un peu après le bec de gaz, Maigret leva la tête vers les fenêtres éclairées de son appartement. Il ne s'en rendait plus compte. Peut-être, si on lui avait demandé à brûle-pourpoint s'il y avait de la lumière ou non, aurait-il hésité à répondre. De même, par une sorte de manie, entre le second et le troisième étage, commençait-il à déboutonner son pardessus pour prendre la clef dans la poche de son pantalon alors qu'invariablement la porte s'ouvrait dès qu'il posait le pied sur le paillasson.

C'étaient là des rites qui avaient mis des années à s'établir et auxquels il tenait plus qu'il n'aurait voulu l'avouer. Le cas ne se présentait pas aujourd'hui, car il ne pleuvait pas, mais, par exemple, sa femme avait un geste particulier pour lui prendre des mains son parapluie mouillé en même temps qu'elle penchait la tête pour l'embrasser sur la joue.

Il prononçait son traditionnel :

— Pas de téléphone ?

Elle répondait en refermant la porte :

— Si. Je crains que cela ne vaille pas la peine de retirer ton manteau.

La journée avait été grisâtre, ni froide ni chaude, avec une giboulée vers deux heures de l'après-midi. Quai des Orfèvres, Maigret n'avait fait qu'expédier des affaires courantes.

— Tu as bien dîné ?

La lumière, dans leur appartement, était plus chaude, plus intime qu'au bureau. Il voyait les journaux préparés à côté de son fauteuil, ses pantoufles.

— J'ai dîné avec le chef, Lucas et Janvier, à la *Brasserie Dauphine*.

Après quoi tous les quatre s'étaient rendus à l'assemblée de la Mutuelle de la Police. Depuis trois ans, Maigret, à son corps défendant, en était chaque fois élu vice-président.

— Tu as le temps de boire une tasse de café. Enlève quand même ton pardessus. J'ai dit que tu ne rentrerais pas avant onze heures.

Il était dix heures et demie. La séance n'avait pas été longue. Ils avaient eu le temps, à quelques-uns, de prendre un demi dans une brasserie et Maigret était revenu en métro.

— Qui a téléphoné ?

— Un ministre.

Debout au milieu du salon, il la regarda en fronçant les sourcils.

— Quel ministre ?

— Celui des Travaux Publics. Un nommé Point, si j'ai bien compris son nom.

— Auguste Point, oui. Il a téléphoné ici ? Personnellement ?

— Oui.

— Tu ne lui as pas dit d'appeler le quai des Orfèvres ?

— C'est à toi qu'il veut parler. Il a besoin de te

voir d'urgence. Quand je lui ai répondu que tu étais absent, il m'a demandé si j'étais la bonne. Il paraissait ennuyé. J'ai dit que j'étais Mme Maigret. Il s'est excusé, a voulu savoir où tu étais, quand tu rentrerais. Il m'a fait l'effet d'un homme timide.

— Telle n'est pas sa réputation.

— Il a même fallu que je lui dise si j'étais seule ou non. Alors, il m'a expliqué que son coup de téléphone devait rester secret, qu'il ne m'appelait pas du ministère mais d'une cabine publique, qu'il était important pour lui d'entrer au plus tôt en contact avec toi.

Tout le temps qu'elle parlait, Maigret la regardait, les sourcils toujours froncés, avec un air qui proclamait sa méfiance de la politique. Il était arrivé plusieurs fois, au cours de sa carrière, qu'un homme d'Etat, un député, un sénateur ou quelque personnage en place fasse appel à lui, mais toujours cela avait été par les voies régulières, chaque fois il avait été appelé chez le chef et, chaque fois, la conversation avait commencé par :

— Je m'excuse, mon pauvre Maigret, de vous charger d'une affaire qui va vous déplaire.

Invariablement, en effet, c'étaient des affaires assez déplaisantes.

Il ne connaissait pas Auguste Point personnellement et ne l'avait jamais vu en chair et en os. Ce n'était pas un des hommes dont on parle souvent dans les journaux.

— Pourquoi n'a-t-il pas téléphoné au Quai ?

C'était plutôt pour lui qu'il parlait. Mme Maigret répondit néanmoins :

— Est-ce que je sais, moi ? Je te répète ce qu'il m'a dit. D'abord qu'il téléphonait d'une cabine publique...

Ce détail avait fort impressionné Mme Maigret pour qui un ministre de la République était un personnage considérable qu'elle voyait mal, le soir, pénétrer presque clandestinement dans une cabine publique au coin de quelque boulevard.

— ... ensuite, que tu ne devais pas te rendre au ministère, mais dans son appartement personnel qu'il a conservé...

Elle consulta un papier sur lequel elle avait écrit quelques mots :

— ... 27, boulevard Pasteur. Tu n'as pas besoin de déranger la concierge. C'est au quatrième à gauche.

— Il m'attend là-haut ?

— Il attendra autant qu'il faudra. Pour bien faire, il devrait être rentré au ministère avant minuit.

Elle questionna d'une autre voix :

— Tu crois que c'est une farce ?

Il fit non de la tête. C'était certes inaccoutumé, bizarre, mais cela ne ressemblait pas à une farce.

— Tu bois ton café ?

— Merci, non. Pas après la bière.

Et, debout, il se versa une goutte de prunelle, prit une pipe fraîche sur la cheminée, se dirigea vers la porte.

— A tout à l'heure.

Quand il se retrouva boulevard Richard-Lenoir, l'humidité qu'on avait senti dans l'air toute la journée commençait à se condenser en un brouillard poussiéreux qui mettait un halo autour des lumières. Il ne prit pas de taxi ; pour se rendre au boulevard Pasteur, il irait aussi vite en métro ; peut-être cela tenait-il aussi à ce qu'il ne se sentait pas en mission officielle.

Tout le long du chemin, fixant machinalement un monsieur à moustaches qui lisait le journal en face de lui, il se demanda ce qu'Auguste Point pouvait lui vouloir, et surtout pourquoi il lui donnait un rendez-vous à la fois si pressant et si mystérieux.

Ce qu'il savait de Point, c'est que c'était un avocat vendéen — de La Roche-sur-Yon, sauf erreur — qui était venu sur le tard à la politique. Il faisait partie de ces députés élus, après la guerre pour leur caractère et pour leur conduite pendant l'Occupation.

Qu'avait-il fait exactement, Maigret l'ignorait. Toujours est-il que, alors que certains de ses collègues passaient à la Chambre sans laisser de traces, Point avait été réélu coup sur coup et, trois mois plus tôt, lors de la formation du dernier cabinet, avait reçu le portefeuille des Travaux Publics.

Le commissaire n'avait entendu aucune rumeur à son sujet, comme il en court sur la plupart des hommes politiques. Sa femme ne faisait pas parler d'elle. Ses enfants non plus, s'il en avait.

Quand il émergea du métro à la station Pasteur, le brouillard s'était épaissi, jaunâtre, et Maigret en reconnut la saveur poussiéreuse sur ses lèvres. Il ne vit personne sur le boulevard, entendit seulement des pas au loin, vers Montparnasse, et, dans la même direction, un train qui sifflait en quittant la gare.

Un certain nombre de fenêtres étaient encore éclai-rées et, dans la brume, donnaient une impression de paix, de sécurité. Ces maisons ni riches ni pauvres, ni neuves ni vieilles, aux appartements à peu près pareils, étaient surtout habitées par des gens de classe moyenne, des professeurs, des fonctionnaires, des employés qui prenaient leur métro ou leur autobus à la même heure chaque matin.

Il poussa le bouton et, quand la porte s'ouvrit,

grommela un nom indistinct en se dirigeant vers
l'ascenseur.

Celui-ci, étroit, pour deux personnes, se mit à monter lentement, mais sans secousses et sans bruit, dans
une cage d'escalier faiblement éclairée. Les portes,
aux étages, étaient d'un même brun sombre, les pail-
lassons identiques.

Il sonna à celle de gauche qui s'ouvrit immédiatement comme si quelqu'un avait attendu, la main sur
le bouton.

Ce fut Point qui fit trois pas en avant pour renvoyer l'ascenseur, auquel Maigret n'avait pas
pensé.

— Je m'excuse de vous avoir dérangé si tard,
grommela-t-il. Venez par ici...

Mme Maigret aurait été déçue, car il répondait
aussi peu que possible à l'idée qu'elle se faisait d'un
ministre. De taille et d'embonpoint, il était à peu près
le pendant du commissaire, en plus carré, en plus
dur, on aurait dit en plus paysan, et ses traits vigou-
reusement taillés, son nez fort et sa bouche faisaient
penser aux têtes sculptées dans un marron d'Inde.

Il portait un complet quelconque, grisâtre, une
cravate toute faite. Deux choses frappaient surtout :
ses sourcils touffus, larges et épais comme des moustaches, et les poils presque aussi longs qui lui couvraient les mains.

Il observait Maigret, de son côté, sans essayer de
s'en cacher, sans sourire par politesse.

— Asseyez-vous, commissaire.

L'appartement, plus petit que celui du boulevard
Richard-Lenoir, ne devait se composer que de deux
pièces, peut-être trois, et d'une cuisine minuscule. De
l'antichambre, où pendaient quelques vêtements, ils
étaient passés dans un bureau qui faisait penser au

logement d'un célibataire. A un râtelier, au mur, des
pipes étaient rangées, dix ou douze, plusieurs en
terre, et une fort belle pipe en écume. Un bureau
démodé, comme le père de Maigret en possédait un
jadis, était couvert de papiers et de cendres, surmonté
de casiers et d'une multitude de petits tiroirs. Il n'osa
pas examiner tout de suite les photographies, sur les
murs, le père et la mère de Point, dans les mêmes
cadres noir et or qu'il aurait trouvés dans une ferme
de Vendée.

Assis dans son fauteuil tournant, tout pareil aussi à
celui du père de Maigret, Point touchait négligem-
ment une boîte de cigares.

— Je suppose... commençait-il.

Le commissaire souriait, murmurait :

— Je préfère ma pipe.

— Du gris ?

Le ministre lui tendait un paquet de tabac gris
entamé, rallumait lui-même une pipe qu'il avait laissé
éteinte.

— Vous avez dû être surpris, lorsque votre femme
vous a dit...

Il cherchait à amorcer l'entretien, n'était pas
content de sa phrase. Ce qui se passait était assez
curieux. Dans le bureau calme et chaud, ils étaient
deux de même stature, à peu près du même âge, qui
s'observaient sans essayer de se le cacher l'un à
l'autre. On aurait dit qu'ils découvraient des simili-
tudes, qu'ils en étaient intrigués et hésitaient à se
reconnaître comme des frères.

— Ecoutez, Maigret. Cela ne sert à rien, entre
nous, de faire des phrases. Je ne vous connais que
par les journaux et que par ce que j'ai entendu dire
de vous.

— Moi aussi, monsieur le ministre.

D'un mouvement de la main, Point eut l'air de dire que ce titre, ici, entre eux était déplacé.

— Je suis dans le pétrin. Personne ne le sait jusqu'à présent, personne ne le soupçonne, ni mon président du Conseil, ni même ma femme qui, d'habitude, est au courant de toutes mes actions. C'est vous que j'ai appelé.

Il détourna un instant le regard, tira sur sa pipe, comme gêné de ce qui, dans sa dernière phrase, pouvait passer pour une flatterie banale ou intéressée.

— Je n'ai pas voulu passer par la voie hiérarchique et m'adresser au directeur de la P.J. Ce que je fais est irrégulier. Vous n'aviez aucune obligation de venir, comme vous n'avez aucune obligation de m'aider.

Il se leva avec un soupir.

— Vous prendrez un petit verre ?

Et, avec ce qui pouvait passer pour un sourire :

— N'ayez pas peur. Je n'essaie pas de vous acheter. Il se fait que, ce soir, j'ai vraiment besoin d'un peu d'alcool.

Il passa dans la pièce voisine, revint avec une bouteille entamée et deux verres sans pied comme ceux dont on se sert dans les auberges de campagne.

— Ce n'est que de l'eau-de-vie de pays que mon père distille chaque automne. Celle-ci date d'une vingtaine d'années.

Le verre à la main, ils se regardèrent.

— A votre santé.

— A la vôtre, monsieur le ministre.

Cette fois, Point n'eut pas l'air d'entendre les derniers mots.

— Si je ne sais par où commencer, ce n'est pas

que je me sente embarrassé devant vous, mais parce
que l'histoire est difficile à raconter clairement. Vous
lisez les journaux ?

— Les soirs où les malfaiteurs m'en laissent le
loisir.

— Vous suivez la politique ?

— Assez peu.

— Vous savez que je ne suis pas ce qu'on appelle
un politicien ?

Maigret fit oui de la tête.

— Bon ! Vous êtes au courant, bien entendu, de la
catastrophe de Clairfond ?

Cette fois, Maigret ne put s'empêcher de tressaillir
et un certain dépit, une certaine méfiance durent
paraître sur son visage, car son interlocuteur baissa la
tête en ajoutant plus bas :

— C'est malheureusement de cela qu'il s'agit.

Tout à l'heure, dans le métro, Maigret avait essayé
de deviner de quoi le ministre voulait l'entretenir en
secret. Il n'avait pas pensé à l'affaire de Clairfond
dont, pourtant, les journaux étaient pleins depuis un
mois.

Le sanatorium de Clairfond, en Haute-Savoie,
entre Ugines et Mégève, à une altitude de plus de
quatorze cents mètres, était une des réalisations les
plus spectaculaires de l'après-guerre.

Qui avait lancé l'idée de créer, pour les enfants les
plus déshérités, un établissement comparable aux
modernes sanatoriums privés, Maigret ne s'en souvenait pas, car cela datait de plusieurs années. On en
avait beaucoup parlé, à l'époque. Certains y avaient
vu une entreprise purement politique et il y avait eu
des débats passionnés à la Chambre, une commission
avait été nommée pour étudier le projet qui, longtemps combattu, avait fini par se réaliser.

Un mois plus tôt, la catastrophe s'était produite, une des plus pénibles de l'histoire. Les neiges s'étaient mises à fondre à une époque où cela n'était pas arrivé de mémoire d'homme. Les torrents, dans la montagne, avaient gonflé. Il en avait été de même d'une rivière souterraine, la Lize, si peu importante qu'elle ne figure pas sur les cartes, mais qui n'en avait pas moins miné les fondations de toute une aile de Clairfond.

L'enquête, ouverte le lendemain du désastre, n'était pas terminée. Les experts ne s'accordaient pas. Les journaux non plus qui, selon leur couleur, défendaient des thèses différentes.

Cent vingt-huit enfants avaient trouvé la mort au cours de l'effondrement d'un des bâtiments et les autres avaient été évacués d'urgence.

Après un moment de silence, Maigret murmura :

— Vous ne faisiez pas partie du cabinet lors de la construction de Clairfond, n'est-ce pas ?

— Non. Je n'étais même pas membre de la commission parlementaire qui a voté les crédits. A vrai dire, jusqu'à ces derniers jours, je ne connaissais de l'affaire que ce que tout le monde en sait par les quotidiens.

Il prit un temps.

— Vous avez entendu parler du rapport Calame, commissaire ?

Maigret le regarda, surpris, secoua la tête.

— Vous en entendrez parler. Vous n'en entendrez sans doute que trop parler. Je suppose que vous ne lisez pas les petits hebdomadaires, *la Rumeur*, par exemple ?

— Jamais.

— Vous connaissez Hector Tabard ?

— De nom et de réputation. Mes collègues de la

rue des Saussaies doivent le connaître mieux que
moi.

Il faisait allusion à la Sûreté Nationale qui, dépen-
dant directement du ministère de l'Intérieur, est souvent chargée de missions touchant de près ou de loin
à la politique.

Tabard était un journaliste marron de qui l'hebdo-
madaire, bourré de potins, passait pour une feuille de
chantage.

— Lisez ceci, qui a paru six jours après la catastrophe.

C'était court, mystérieux.

*Se décidera-t-on un jour, sous la pression de l'opi-
nion, à révéler le contenu du rapport Calame ?*

— C'est tout ? s'étonna le commissaire.

— Voici un extrait du numéro suivant.

*Contrairement à l'idée généralement admise, ce
n'est pas sur une question de politique extérieure, ni
à cause des événements d'Afrique du Nord, que
l'actuel gouvernement tombera avant la fin du printemps, mais à cause du rapport Calame. Qui détient
le rapport Calame ?*

Les mots : *Rapport Calame* avaient une résonance
presque comique et Maigret sourit en demandant :

— Qui est Calame ?

Point, lui, ne souriait pas. Tout en vidant sa pipe
dans un vaste cendrier de cuivre, il expliquait :

— Un professeur à l'Ecole des Ponts et Chaussées.
Il est mort voilà deux ans, d'un cancer, si je ne me
trompe. Son nom n'est pas connu du grand public,
mais il est célèbre dans le monde de la mécanique
appliquée et de l'architecture civile. Il est arrivé à
Calame d'être appelé en consultation, pour de grands
travaux, dans des pays aussi différents que le Japon
ou l'Amérique du Sud, et c'était une autorité indiscu-

table en ce qui concerne la résistance des matériaux, en particulier du béton. Il a écrit un ouvrage que ni vous ni moi n'avons lu, mais que tous les architectes possèdent, intitulé : *les Maladies du béton.*

— Calame s'est occupé de la construction de Clairfond ?

— Indirectement. Laissez-moi vous raconter l'histoire autrement, selon une chronologie plus personnelle. Lors de la catastrophe, je vous l'ai dit, je ne savais, du sanatorium, rien qui n'ait été publié dans les journaux. Je ne me souvenais même pas si j'avais voté pour ou contre le projet il y a cinq ans. J'ai dû consulter l'*Officiel* pour découvrir que j'ai voté pour. Je ne lis pas *la Rumeur* moi non plus. Ce n'est qu'après le second entrefilet que le président du Conseil m'a pris à part et m'a demandé :

« Vous connaissez le rapport Calame ?

« Je lui ai répondu que non, candidement. Il a paru surpris et je ne suis pas sûr qu'il ne m'ait pas regardé avec une certaine méfiance.

« Il devrait pourtant se trouver dans vos archives, m'a-t-il dit.

« C'est alors qu'il m'a mis au courant. Lors des débats au sujet de Clairfond, voilà cinq ans, et comme la commission parlementaire était divisée, un député, j'ignore lequel, a proposé de demander un rapport à un technicien d'une valeur incontestable.

« Il a cité le nom du professeur Julien Calame, de l'Ecole Nationale des Ponts et Chaussées, et celui-ci a passé un certain temps à étudier les projets, s'est même rendu sur place en Haute-Savoie.

« Il a ensuite rédigé un rapport qui, normalement, doit avoir été transmis à la commission. »

Maigret croyait comprendre.

— Ce rapport était défavorable ?

— Attendez. Lorsque le président m'a parlé de l'affaire, il avait déjà ordonné des recherches dans les archives de la Chambre. On aurait dû retrouver le rapport dans les dossiers de la commission. Il se fait que, non seulement le rapport ne s'y trouve pas, mais qu'une partie des comptes rendus a disparu.

« Vous voyez ce que cela signifie ? »

— Que certains sont intéressés à ce que le rapport ne soit jamais publié ?

— Lisez ceci.

C'était un nouvel extrait de *la Rumeur*, court aussi, mais non moins menaçant.

M. Arthur Nicoud sera-t-il assez puissant pour empêcher que le rapport Calame voie le jour ?

Maigret connaissait ce nom-là comme il en connaissait des centaines d'autres. Il connaissait surtout la firme Nicoud et Sauvegrain, parce qu'on en voyait la mention presque partout où il y avait des travaux publics, qu'il s'agît de routes, de ponts ou d'écluses.

— C'est la firme Nicoud et Sauvegrain qui a construit Clairfond.

Maigret commençait à regretter d'être venu. S'il ressentait pour Auguste Point une sympathie naturelle, l'histoire que celui-ci lui racontait le mettait aussi mal à l'aise que quand il entendait raconter devant une femme des histoires de mauvais goût.

Malgré lui, il essayait de deviner le rôle que Point pouvait avoir joué dans la tragédie qui avait coûté la vie à cent vingt-huit enfants. Pour un peu, il lui aurait demandé crûment :

— Qu'est-ce que vous faites là-dedans ?

Il devinait que des gens avaient touché, des politiciens, peut-être des personnages haut placés.

— Je vais essayer d'en finir rapidement. Le pré-

sident, donc, m'a prié d'entreprendre des recherches
minutieuses dans les archives de mon ministère.
L'Ecole Nationale des Ponts et Chaussées dépend
directement des Travaux Publics. Logiquement, nous
devrions avoir, quelque part, dans nos dossiers à tout
le moins, une copie du rapport Calame.

Les fameux mots revenaient : *Rapport Calame.*

— Vous n'avez rien trouvé ?

— Rien. C'est en vain qu'on a remué jusque dans
les greniers, des tonnes de papiers poussiéreux.

Maigret commençait à s'agiter, mal à l'aise dans
son fauteuil, et son interlocuteur s'en aperçut.

— Vous n'aimez pas la politique ?

— Je l'avoue.

— Moi non plus. Si étrange que cela paraisse, c'est
pour lutter contre la politique que j'ai accepté, il y a
douze ans, de me présenter aux élections. Et quand,
voilà trois mois, on m'a demandé de faire partie du
cabinet, c'est toujours avec l'idée d'apporter un peu
de propreté dans les affaires publiques que je me suis
laissé convaincre. Ma femme et moi sommes des gens
simples. Vous voyez le logement que nous occupons
à Paris, durant les sessions de la Chambre, depuis
que je suis député. C'est plutôt un pied-à-terre de
célibataire. Ma femme aurait pu rester à La Roche-
sur-Yon, où nous avons notre maison, mais nous
n'avons pas l'habitude de nous séparer.

Il parlait naturellement, sans aucune sentimentalité
dans la voix.

— Depuis que je suis ministre, nous habitons officiellement le ministère, boulevard Saint-Germain,
mais nous venons nous réfugier ici aussi souvent que
possible, le dimanche notamment.

« Peu importe. Si je vous ai téléphoné d'une
cabine publique, comme votre femme a dû vous le

dire — car vous avez, si je ne me trompe, le même
genre de femme que moi —, si je vous ai téléphoné
d'une cabine publique, dis-je, c'est que je me méfie
des tables d'écoute. Je suis persuadé, à tort ou à
raison, que mes communications du ministère, peut-
être aussi celles de cet appartement, sont enregistrées
quelque part, je préfère ne pas savoir où. J'ajoute,
sans fierté, que ce soir, avant de venir ici, je suis
entré par une porte dans un cinéma des Boulevards
pour en sortir par une autre et que j'ai changé deux
fois de taxi. Je ne jurerais pourtant pas que la maison
n'est pas surveillée. »

— Je n'ai aperçu personne en arrivant.

C'était une certaine pitié, maintenant, que Maigret
ressentait. Jusqu'ici, Point avait essayé de parler d'un
ton détaché. Au moment d'en arriver à l'essentiel de
leur entrevue, il tergiversait, tournait autour du pot,
comme s'il avait peur que Maigret se fasse de lui une
opinion fausse.

— Les archives du ministère ont été bouleversées,
et Dieu sait ce qu'il s'y trouve de paperasses dont
aucun être vivant ne se souvient. Deux fois par jour,
au moins, pendant ce temps, je recevais des coups de
téléphone du président, et je ne suis pas sûr qu'il me
fasse confiance.

« On a entrepris des recherches à l'Ecole des Ponts
et Chaussées aussi, sans résultat jusqu'à hier
matin. »

Maigret ne put s'empêcher de questionner comme
on demande la fin d'un roman :

— On a retrouvé le rapport Calame ?

— Ce qui, en tout cas, paraît être le rapport Calame.

— Où ?

— Dans un grenier de l'Ecole.

— Un professeur ?

— Un surveillant. Hier après-midi, on m'a passé la fiche d'un nommé Piquemal, dont je n'avais jamais entendu parler, sur laquelle était écrit au crayon : « Au sujet du rapport Calame. » Je l'ai fait entrer tout de suite. J'ai pris soin de me débarrasser d'abord de ma secrétaire, Mlle Blanche, que j'ai pourtant depuis vingt ans, car elle est de La Roche-sur-Yon et travaillait dans mon cabinet d'avocat. Vous verrez que cela a son importance. Mon chef de cabinet n'était pas dans la pièce non plus. Je suis resté seul avec un homme entre deux âges, au regard fixe, qui se tenait debout devant moi sans rien dire, un paquet enveloppé de papier gris sous le bras.

« M. Piquemal ? ai-je demandé, un peu inquiet, car, un moment, j'ai cru avoir affaire à un fou.

« Il a fait oui de la tête.

« Asseyez-vous.

« Ce n'est pas la peine.

« J'avais l'impression qu'il n'y avait aucune sympathie dans ses yeux.

« Il m'a demandé, presque grossièrement :

— Vous êtes le ministre ?

« Oui.

« Je suis surveillant à l'Ecole des Ponts et Chaussées.

« Il a fait deux pas, m'a tendu le paquet, a prononcé du même ton :

« Ouvrez-le et donnez-moi un reçu.

« Le paquet contenait un document d'une quarantaine de pages qui est évidemment une copie au carbone :

« *Rapport au sujet de la construction d'un sanatorium au lieudit Clairfond, en Haute-Savoie.*

« Le document n'était pas signé à la main, mais le

nom de Julien Calame, avec son titre, était tapé à la machine en dernière page, ainsi que la date.

« Toujours debout, Piquemal répétait :

« Je désire un reçu.

« Je lui en ai rédigé un, à la main. Il l'a plié, l'a glissé dans un portefeuille usé et s'est dirigé vers la porte. Je l'ai rappelé.

« Où avez-vous découvert ces papiers ?

« Au grenier.

« Vous serez vraisemblablement appelé à faire une déclaration écrite.

« On sait où me trouver.

« Vous n'avez montré ce document à personne ?

« Il m'a regardé dans les yeux, méprisant :

« A personne.

« Il n'y en avait pas d'autres copies ?

« Pas que je sache.

« Je vous remercie. »

Point regarda Maigret avec embarras.

— C'est ici que j'ai commis une faute, continuat-il. Je crois que c'est à cause de la bizarrerie de ce Piquemal, car j'imagine assez un anarchiste ayant la même attitude au moment de lancer une bombe.

— Quel âge ? questionna Maigret.

— Peut-être quarante-cinq ans. Ni bien ni mal habillé. Son regard est celui d'un fou ou d'un fanatique.

— Vous vous êtes renseigné à son sujet ?

— Pas sur-le-champ. Il était cinq heures. Il restait quatre ou cinq personnes dans mon antichambre et j'avais, le soir, à présider un dîner d'ingénieurs. Sachant mon visiteur sorti, ma secrétaire est revenue et j'ai glissé le dossier Calame dans ma serviette personnelle.

« J'aurais dû téléphoner au président du Conseil.

Si je ne l'ai pas fait, je vous le jure, c'est, encore une fois, parce que je me demandais si Piquemal n'était pas fou. Rien ne prouvait que le document ne fût pas un faux. Il nous arrive presque chaque jour de recevoir la visite de déséquilibrés. »

— A nous aussi.

— Dans ce cas, vous me comprenez peut-être. Mes audiences ont duré jusqu'à sept heures. Je n'ai eu que le temps de passer dans mon appartement pour me mettre en habit.

— Vous avez parlé à votre femme du rapport Calame ?

— Non. J'avais emporté ma serviette. Je lui ai annoncé qu'après le dîner je passerais par le boulevard Pasteur. Cela m'arrive assez souvent. Non seulement nous y venons ensemble le dimanche pour un petit dîner qu'elle mijote et que nous prenons en tête à tête, mais aussi j'y viens seul quand j'ai un travail important et que je désire la paix.

— Où avait lieu le banquet ?

— Au Palais d'Orsay.

— Vous avez emporté la serviette ?

— Elle est restée, fermée à clef, sous la garde de mon chauffeur, en qui j'ai toute confiance.

— Vous êtes venu directement ici après ?

— Vers dix heures et demie. Les ministres ont l'avantage de ne pas devoir rester après le discours.

— Vous étiez en habit ?

— Je l'ai retiré pour m'installer à ce bureau.

— Vous avez lu le rapport ?

— Oui.

— Il vous a paru authentique ?

Le ministre fit oui de la tête.

— Ce serait vraiment une bombe s'il était publié ?

— Sans aucun doute.

— Pour quelle raison ?

— Parce que le professeur Calame a pour ainsi dire annoncé la catastrophe qui s'est produite. Encore qu'on m'ait placé aux Travaux Publics, je suis incapable de vous répéter son raisonnement, et surtout les détails techniques qu'il fournit à l'appui de son opinion. Toujours est-il qu'il a pris nettement, indubitablement position contre le projet, et qu'il était du devoir de toute personne l'ayant lu de voter contre la construction de Clairfond telle qu'elle était envisagée, ou à tout le moins de réclamer un supplément d'enquête. Vous comprenez ?

— Je commence à comprendre.

— Comment *la Rumeur* a-t-elle eu connaissance du document, je l'ignore. En possède-t-elle une copie ? Je ne le sais pas davantage. Autant que l'on puisse juger, la seule personne possédant, hier au soir, un exemplaire du rapport Calame était moi.

— Qu'est-il arrivé ?

— Vers minuit, j'ai voulu téléphoner au président du Conseil, mais on m'a répondu qu'il assistait à une réunion politique à Rouen. J'ai failli l'y appeler...

— Vous ne l'avez pas fait ?

— Non. Justement parce que j'ai pensé à la table d'écoute. J'avais l'impression de détenir ici une caisse de dynamite capable, non seulement de faire sauter le gouvernement, mais de déshonorer un certain nombre de mes collègues. Il est inadmissible que ceux qui ont lu le rapport aient pu s'obstiner à...

Maigret croyait deviner la suite.

— Vous avez laissé le rapport dans cet appartement ?

— Oui.

— Dans le bureau ?

— Il ferme à clef. J'ai considéré qu'il était plus en sûreté ici qu'au ministère, où défilent trop de gens que je connais à peine.

— Votre chauffeur est resté en bas tout le temps que vous avez étudié le dossier ?

— Je l'avais renvoyé. J'ai pris un taxi au coin du boulevard.

— Vous avez parlé à votre femme en rentrant ?

— Pas du rapport Calame. Je n'en ai soufflé mot à personne jusqu'au lendemain, à une heure de l'après-midi, quand j'ai rencontré le président à la Chambre. Je l'ai mis au courant, dans une embrasure de fenêtre.

— Il s'est montré ému ?

— Je crois qu'il l'a été. Tout chef de gouvernement l'aurait été à sa place. Il m'a prié de venir chercher le rapport et de le lui porter personnellement à son cabinet.

— Le rapport n'était plus dans votre bureau ?

— Non.

— La serrure de la porte a été forcée ?

— Je ne le pense pas.

— Vous avez revu le président ?

— Non. Je me suis senti réellement malade. Je me suis fait conduire boulevard Saint-Germain et j'ai remis tous mes rendez-vous. Ma femme a téléphoné au président que je n'étais pas bien, que j'avais été pris d'une syncope et que j'irais le voir demain matin.

— Votre femme sait ?

— Pour la première fois de ma vie, je lui ai menti. Je ne sais plus exactement ce que je lui ai raconté et il a dû m'arriver plusieurs fois de me couper.

— Elle sait que vous êtes ici ?

— Elle me croit à une réunion. Je me demande si

vous comprenez ma situation. Je me trouve seul,
soudain, avec l'impression que, dès que j'ouvrirai la
bouche, tout le monde m'accablera. Nul ne peut
croire mon histoire. J'ai eu le rapport Calame en
main. Je suis le seul, en dehors de Piquemal, à l'avoir
détenu. *Or, trois fois au moins, au cours des dernières années, j'ai été l'invité d'Arthur Nicoud,
l'entrepreneur en cause, dans sa propriété de
Samois.*

Il mollit, tout à coup. Ses épaules devinrent moins
carrées, son menton plus flou. Il avait l'air de dire :

« Faites ce que vous voudrez. Moi, je ne sais
plus. »

Maigret, sans en demander la permission, se versait
un verre d'eau-de-vie et, seulement après l'avoir porté
à ses lèvres, pensait à remplir celui du ministre.

2

LE COUP DE TELEPHONE DU PRESIDENT

Sans doute, au cours de sa carrière, devait-il avoir déjà eu cette impression-là, mais jamais, lui sembla-t-il, avec la même intensité. L'exiguïté de la pièce, sa chaleur, son intimité aidaient à l'illusion, et aussi l'odeur d'alcool de campagne, le bureau qui ressemblait à celui de son père, les agrandissements photographiques des « vieux » sur les murs : Maigret se sentait vraiment comme un médecin qu'on a appelé d'urgence et entre les mains de qui le patient a remis son sort.

Le plus curieux, c'est que l'homme qui, en face de lui, avait l'air d'attendre son diagnostic, lui ressemblait, sinon comme un frère, tout au moins comme un cousin germain. Ce n'était pas seulement au physique. Un coup d'œil aux portraits de famille disait au commissaire que Point et lui avaient à peu près les mêmes origines. Tous les deux étaient nés à la campagne, d'une souche paysanne déjà évoluée. Probablement les parents du ministre avaient-ils eu, dès sa naissance, l'ambition de faire de lui, comme les parents de Maigret, un médecin ou un avocat.

Point était allé au-delà de leurs espoirs. Etaient-ils encore là pour le savoir ?

Il n'osait pas, tout de suite, poser ces questions-là.

Il avait devant lui un homme effondré et il sentait que ce n'était pas par faiblesse. En le regardant, Maigret était pénétré d'un sentiment complexe, fait d'écœurement et de colère, de découragement aussi.

Une fois dans sa vie, il s'était trouvé dans une situation similaire, encore que moins dramatique, et c'était venu aussi d'une affaire politique. Il n'y était pour rien. Il avait agi exactement comme il devait le faire, s'était conduit, non seulement en honnête homme, mais selon son strict devoir de fonctionnaire.

Il .n'en avait pas moins eu tort aux yeux de tous ou de presque tous. Il avait dû passer devant un conseil de discipline et, comme tout était contre lui, on avait été obligé de lui donner tort.

C'est à cette époque-là qu'il avait quitté momentanément la P.J. et s'était vu exilé pendant un an à la Brigade mobile de Luçon, en Vendée, justement, le département que Point représentait à la Chambre.

Comme sa femme et ses amis le lui répétaient, il avait sa conscience pour lui, et pourtant il lui arrivait, sans s'en rendre compte, de prendre des attitudes de coupable. Pendant les derniers jours à la P.J., par exemple, alors que son cas se discutait en haut lieu, il n'osait plus donner d'ordres à ses subordonnés, pas même à un Lucas ou à un Janvier et, quand il descendait le grand escalier, il en rasait les murs.

Point n'était plus capable non plus de penser avec lucidité à son propre cas. Il venait de dire tout ce qu'il avait à dire. Pendant les dernières heures, il s'était comporté en homme qui s'enfonce et n'espère plus qu'en un secours miraculeux.

N'était-ce pas étrange que ce fût à Maigret, qu'il ne

connaissait pas, qu'il n'avait jamais vu, qu'il eût fait appel ?

Sans s'en rendre compte, Maigret, maintenant, le prenait en main, et ses questions ressemblaient à celles du docteur qui cherche à établir son diagnostic.

— Vous vous êtes assuré de l'identité de Piquemal ?

— J'ai fait téléphoner par ma secrétaire à l'Ecole des Ponts et Chaussées et on lui a confirmé que Jules Piquemal y travaille depuis quinze ans en qualité de surveillant.

— N'est-il pas anormal qu'il n'ait pas remis le document au directeur de l'Ecole au lieu de venir le porter en personne à votre cabinet ?

— Je ne sais pas. Je n'y ai pas pensé.

— Cela semble indiquer, n'est-ce pas, qu'il s'est rendu compte de son importance ?

— Je crois. Oui.

— En somme, depuis que le rapport Calame a été retrouvé, Piquemal est le seul, avec vous, à avoir eu l'opportunité de le lire.

— Sans compter la ou les personnes qui l'ont à présent entre les mains.

— Ne nous occupons pas encore de ça. Si je ne me trompe, une seule personne, en dehors de Piquemal, a su, à partir de mardi vers une heure, que vous étiez en possession du document ?

— Vous voulez dire le président du Conseil ?

Point regardait Maigret d'un œil effaré. L'actuel chef du gouvernement, Oscar Malterre, était un homme de soixante-cinq ans qui, depuis la quarantaine, avait fait partie de presque tous les cabinets. Son père, déjà, était préfet, un de ses frères était député et un autre gouverneur des colonies.

— J'espère que vous ne supposez pas...

— Je ne suppose rien, monsieur le ministre. J'essaie de comprendre. Le rapport Calame se trouvait dans ce bureau hier au soir. Cet après-midi, il n'y était plus. Vous êtes certain que la porte n'a pas été forcée ?

— Vous pouvez voir vous-même. Il n'y a aucune trace sur le bois ou sur le cuivre de la serrure. On s'est peut-être servi d'un passe-partout ?

— Et la serrure de votre bureau ?

— Voyez. Elle est sans complication. Il m'est arrivé, ayant oublié ma clef, de l'ouvrir avec un morceau de fil de fer.

— Permettez-moi de continuer à vous poser les questions habituelles d'un policier, ne fût-ce que pour déblayer le terrain. Qui, en dehors de vous, possède une clef de l'appartement ?

— Ma femme, bien entendu.

— Vous m'avez dit qu'elle n'est pas au courant de l'affaire Calame.

— Je ne lui en ai pas parlé. Elle ignore même que je suis venu ici hier et aujourd'hui.

— Elle suit la politique de près ?

— Elle lit les journaux, se tient suffisamment au courant pour que nous puissions parler ensemble de mon travail. Quand on m'a proposé d'être candidat à la députation, elle a tenté de m'en détourner. Elle ne voulait pas non plus que je devienne ministre. Elle n'a pas d'ambition.

— Elle est originaire de La Roche-sur-Yon ?

— Son père y était avoué.

— Revenons aux clefs. Qui d'autre en détient ?

— Ma secrétaire, Mlle Blanche.

— Blanche qui ?

Maigret prenait des notes dans son calepin noir.

— Blanche Lamotte. Elle doit avoir... attendez... quarante et un... non, quarante-deux ans.

— Vous la connaissez depuis longtemps ?

— Elle est entrée à mon service comme dactylo alors qu'elle avait à peine dix-sept ans et qu'elle sortait de l'école Pigier. Elle ne m'a pas quitté depuis.

— De La Roche aussi ?

— D'un village des environs. Son père était boucher.

— Jolie ?

Point parut réfléchir, comme s'il ne s'était jamais posé la question.

— Non. On ne peut pas dire ça.

— Amoureuse de vous ?

Maigret sourit en voyant rougir le ministre.

— Comment le savez-vous ? Mettons qu'elle soit amoureuse à sa façon. Je ne crois pas qu'il y ait jamais eu d'homme dans sa vie.

— Jalouse de votre femme ?

— Pas dans le sens habituel du mot. Je la soupçonne d'être jalouse de ce qu'elle considère comme sa part.

— C'est-à-dire qu'au bureau c'est elle qui veille sur vous.

Point, qui avait pourtant beaucoup vécu, se montrait surpris que Maigret découvrît des vérités si ordinaires.

— Elle était dans votre bureau, m'avez-vous dit, quand Piquemal a été annoncé, et vous l'en avez fait sortir. Lorsque vous l'avez rappelée, aviez-vous encore le rapport à la main ?

— Je crois, oui... Mais je vous assure...

— Comprenez, monsieur le ministre, que je n'accuse personne, que je ne suspecte personne.

Comme vous, j'essaie d'y voir clair. Existe-t-il d'autres clefs de cet appartement ?

— Ma fille en a une.

— Quel âge ?

— Anne-Marie ? Vingt-quatre ans.

— Mariée ?

— Elle doit, plus exactement elle devait, se marier le mois prochain. Avec l'orage qui se prépare, je ne sais plus. Vous connaissez la famille Courmont ?

— De nom.

Si les Malterre étaient fameux dans la politique, les Courmont ne l'étaient pas moins dans la diplomatie, depuis trois générations au moins. Robert Courmont, qui possédait un hôtel particulier rue de la Faisanderie et qui était un des derniers Français à porter monocle, avait été ambassadeur pendant plus de trente ans, tantôt à Tokyo, tantôt à Londres, et faisait partie de l'Institut.

— Son fils ?

— Alain Courmont, oui. A trente-deux ans, il a déjà été attaché à trois ou quatre ambassades et est maintenant chef d'un service important aux Affaires étrangères. Il a sa nomination pour Buenos-Aires, où il doit se rendre trois semaines après son mariage. Vous comprenez maintenant que la situation est encore plus tragique qu'elle le paraît. Un scandale comme celui qui m'attend demain ou après-demain...

— Votre fille venait souvent ici ?

— Pas depuis que nous habitons officiellement l'hôtel du ministère.

— Cela ne lui est jamais arrivé ?

— Je préfère tout vous dire, commissaire. Sinon, ce ne serait pas la peine de vous avoir appelé. Anne-Marie a passé son bachot, puis a fait sa philosophie-

lettres. Ce n'est pas un bas bleu, mais ce n'est pas
non plus une jeune fille comme celles de notre temps.
Une fois, il y a environ un mois, j'ai trouvé, ici, des
cendres de cigarette. Mlle Blanche ne fume pas. Ma
femme non plus. J'ai questionné Anne-Marie et elle
m'a avoué qu'il lui arrivait de venir dans cet appartement avec Alain. Je n'ai pas cherché à en savoir
davantage. Je me souviens du mot qu'elle m'a dit,
sans rougir, en me regardant en face :

« — Il faut être réaliste, père. J'ai vingt-quatre
ans et il en a trente-deux. »

« Vous avez des enfants, Maigret ? »

Le commissaire secoua la tête.

— Je suppose qu'il n'y avait pas de cendres de
cigarette aujourd'hui ?

— Non.

Depuis qu'il n'avait plus qu'à répondre aux questions, Point était déjà moins abattu, comme un
malade qui répond au médecin en sachant que celui-
ci finira par lui donner un remède. Peut-être était-ce
exprès que Maigret s'attardait à cette affaire de
clefs ?

— Personne d'autre ?

— Mon chef de cabinet.

— Qui est-ce ?

— Jacques Fleury.

— Vous le connaissez depuis longtemps ?

— Je suis allé au lycée, puis à l'Université avec lui.

— Encore un Vendéen ?

— Non. Il est de Niort. Ce n'est pas si loin. A peu
près mon âge.

— Avocat ?

— Il n'a jamais été inscrit au Barreau.

— Pourquoi ?

— C'est un drôle de garçon. Ses parents avaient de

l'argent. Jeune, il n'avait aucun désir de travailler régulièrement. Tous les six mois, il se passionnait pour quelque chose de nouveau. Pendant un temps, par exemple, il s'est mis en tête de faire de l'armement à la pêche et il a eu plusieurs bateaux. Il s'est occupé aussi d'une entreprise coloniale qui n'a pas réussi. Je l'ai perdu de vue. Quand j'ai été élu député, je l'ai revu de temps en temps, à Paris.

— Ruiné ?

— Complètement. Il portait toujours beau. Il n'a jamais cessé de porter beau, ni d'être infiniment sympathique. C'est le type même du raté sympathique.

— Il vous a demandé des faveurs ?

— Plus ou moins. Aucune importance. Peu avant que je devienne ministre, le hasard a voulu que je le rencontre plus souvent et, quand j'ai eu besoin d'un chef de cabinet, il s'est trouvé là, disponible.

Point fronça ses gros sourcils.

— A ce sujet, il faut que je vous explique quelque chose. Vous ne vous rendez sans doute pas compte de ce que c'est que de devenir ministre d'un jour à l'autre. Prenez mon cas. Je suis avocat, un petit avocat de province, certes, mais je n'en ai pas moins des connaissances de Droit. Or, c'est aux Travaux Publics que j'ai été nommé. Je suis devenu, sans transition, sans apprentissage, le chef d'un ministère où fourmillent de hauts fonctionnaires compétents et même des gens aussi illustres que le défunt Calame. J'ai agi comme les autres. J'ai pris une attitude assurée. J'ai fait comme si je savais tout. Je n'en sentais pas moins autour de moi de l'ironie ou de l'hostilité. J'étais conscient aussi d'une quantité d'intrigues auxquelles je ne comprenais rien.

« Même dans le sein du ministère, je reste un étranger car, là aussi, je me trouve parmi des gens qui sont au courant, depuis longtemps, de tous les dessous de la politique.

« D'avoir près de moi un homme comme Fleury, devant qui je peux me déboutonner... »

— Je vous comprends. Quand vous l'avez choisi pour chef de cabinet, Fleury avait-il déjà des relations politiques ?

— Seulement les vagues relations que l'on fait dans les bars et les restaurants.

— Marié ?

— Il l'a été. Il doit toujours l'être, car je ne crois pas qu'il ait divorcé et il a eu deux enfants avec sa femme. Ils ne vivent plus ensemble. Il a au moins un autre ménage à Paris, peut-être deux, car il a le don de se compliquer l'existence.

— Vous êtes sûr qu'il ignorait que vous étiez en possession du rapport Calame ?

— Il n'a même pas vu Piquemal au ministère. Je ne lui ai parlé de rien.

— Quelles sont les relations entre Fleury et Mlle Blanche ?

— Cordiales en apparence. Dans le fond, Mlle Blanche ne peut pas le sentir, car elle est bourgeoise dans l'âme et la vie sentimentale de Fleury la heurte et l'exaspère. Vous voyez que nous n'arrivons à rien.

— Vous êtes certain que votre femme ne se doute pas de votre présence ici ?

— Elle a remarqué, ce soir, que j'étais tracassé. Elle voulait que je profite pour me mettre au lit de ce que, pour un soir, je n'avais pas d'engagement important. Je lui ai parlé d'une réunion...

— Elle vous a cru ?

— Je ne sais pas.

— Vous avez l'habitude de lui mentir ?

— Non.

Il était près de minuit. C'était le ministre, cette fois, qui avait rempli les petits verres sans pied et s'était dirigé en soupirant vers le râtelier pour choisir une pipe courbe à bague d'argent.

Comme pour confirmer l'intuition de Maigret, le téléphone sonna. Point regarda le commissaire avec l'air de lui demander s'il devait répondre.

— C'est sans doute votre femme. En rentrant, vous serez quand même obligé de tout lui dire.

Le ministre décrocha.

— Allô ! Oui... C'est moi...

Il avait déjà l'air d'un coupable.

— Non... Il y a quelqu'un avec moi... Nous avions à discuter une question très importante... Je t'en parlerai tout à l'heure... Je ne sais pas... Ce ne sera plus très long... Très bien... Je t'assure que je me sens très bien... Comment ?... De la présidence ?... Il veut que... ?.. Bon.. Je verrai... Oui... Je vais le faire tout de suite... A tout à l'heure...

Des gouttes de sueur au front, il regarda à nouveau Maigret en homme qui ne sait plus à quel saint se vouer.

— La présidence a appelé trois fois... Le président me fait dire de lui téléphoner à n'importe quelle heure...

Il s'épongea. Il en avait oublié d'allumer sa pipe.

— Qu'est-ce que je fais ?

— Vous l'appelez, je suppose ? Il faudra bien, demain matin, lui avouer que vous n'avez plus le rapport. Or, il n'y a aucune chance, pour que nous mettions la main dessus en une nuit.

Il y eut une note comique, qui montrait à la fois le désarroi de Point et la confiance instinctive que cer-

de l'Intérieur et qui, par le fait, avait la haute main
sur la Sûreté Nationale.

A supposer que Malterre ait eu vent de la visite de
Piquemal boulevard Saint-Germain et qu'il ait fait
surveiller Auguste Point... Ou même qu'après l'entretien qu'il avait eu avec celui-ci...

On pouvait tout imaginer, aussi bien qu'il ait voulu
s'approprier le document pour le détruire que pour le
garder comme un atout dans sa main.

Le terme journalistique courant, en l'occurrence,
était exact : le rapport Calame était une vraie bombe,
qui donnait à celui qui le possédait des possibilités
inouïes.

— Oui, mon cher président... Pas la police, je vous
le répète...

L'autre devait le harceler de questions qui lui faisaient perdre pied. Son regard appelait Maigret au
secours, mais il n'y avait aucun secours possible. Il
flanchait déjà.

— La personne qui est dans mon bureau ne s'y
trouve pas à titre de...

C'était pourtant un homme fort, moralement et
physiquement. Maigret aussi se considérait comme un
fort et pourtant, jadis, il avait flanché, lui aussi,
quand il avait été pris dans un engrenage moins
puissant cependant. Ce qui l'écrasait le plus, il s'en
souvenait et s'en souviendrait toute sa vie, c'était
l'impression d'avoir affaire à une force sans nom,
sans visage, qu'il est impossible de saisir. Et aussi
que cette force-là, pour tout le monde, était La Force
avec une majuscule, Le Droit.

Point lâchait le dernier bout du fil.

— C'est le commissaire Maigret... Je lui ai
demandé de venir me voir à titre privé... Je suis sûr
qu'il...

On l'interrompait. Le micro vibrait.

— Aucune piste, non... Personne... Non, ma femme ne sait pas non plus... Ni ma secrétaire... Je vous jure, monsieur le président...

Il en oubliait le « Cher Président » traditionnel et devenait humble.

— Oui... Dès neuf heures... Je vous le promets... Vous désirez lui parler ?... Un instant...

Honteux, il regardait Maigret.

— Le président désire...

Le commissaire saisit l'appareil.

— Je vous écoute, monsieur le président.

— J'apprends que mon collègue des Travaux Publics vous a mis au courant de l'incident ?

— Oui, monsieur le président.

— Inutile de vous répéter que l'affaire doit rester rigoureusement secrète. Il n'est donc pas question d'effectuer une enquête régulière. La Sûreté Nationale ne sera pas saisie non plus.

— J'ai compris, monsieur le président.

— Il est évident que si, personnellement, et sans aucune démarche officielle, sans avoir l'air de vous en occuper, vous découvriez quoi que ce soit au sujet du rapport Calame, vous m'en...

Il se reprit. Il ne voulait pas être mêlé personnellement à l'affaire.

— ... vous en avertiriez mon collègue Point.

— Oui, monsieur le président.

— C'est tout.

Maigret voulut tendre le récepteur au ministre mais, à l'autre bout du fil, on avait raccroché.

— Je m'excuse, Maigret. Il m'a acculé à parler de vous. On prétend qu'il a été un fameux avocat d'assises avant d'entrer dans la politique et je le crois sans peine. Je suis confus de vous avoir placé dans une situation...

— Vous le voyez demain matin ?

— A neuf heures. Il ne veut pas que les autres membres du cabinet soient mis au courant. Ce qui l'inquiète le plus, c'est que Piquemal parle ou ait déjà parlé, puisqu'il est le seul, en dehors de nous trois, à savoir que le document a été retrouvé.

— Je tâcherai de savoir quel genre d'homme c'est.

— Sans vous découvrir, n'est-ce pas ?

— Je vous avertis seulement, en toute honnêteté, que je suis tenu d'en parler à mon chef. Je n'ai pas à entrer dans les détails, donc pas à parler du rapport Calame. Il n'en est pas moins nécessaire qu'il sache que je travaille pour vous. S'il ne s'agissait que de moi, je pourrais m'occuper de l'affaire en dehors de mon service. Mais j'aurai sans doute besoin de certains de mes collaborateurs...

— Ils sauront ?

— Ils ne sauront rien du rapport, je vous le promets.

— J'étais prêt à lui offrir ma démission, mais il a devancé ma parole en disant qu'il n'avait même pas le recours de me dissocier du cabinet, car ce serait, sinon révéler la vérité, tout au moins la faire soupçonner par ceux qui ont suivi les derniers événements politiques. Dès maintenant, je suis la brebis galeuse, et mes collègues...

— Avez-vous la certitude que le rapport que vous avez eu entre les mains soit réellement une copie du rapport Calame ?

Point leva la tête, surpris.

— Vous pensez que c'était peut-être un faux ?

— Je ne pense rien. Je continue à examiner toutes

les hypothèses. En vous présentant un rapport Calame, vrai ou faux, et en le faisant disparaître ensuite, on jette automatiquement le discrédit sur vous et sur tout le gouvernement, car on vous accusera de l'avoir supprimé.

— Dans ce cas, nous en entendrons parler dès demain.

— Pas nécessairement si vite. J'aimerais savoir où, et dans quelles circonstances, le rapport a été retrouvé.

— Vous croyez y arriver sans que cela se sache ?

— J'essayerai. Je suppose, monsieur le ministre, que vous m'avez tout dit ? Si je me permets d'insister c'est que, dans les circonstances actuelles, il est important que...

— Je sais. Un simple détail, que je n'ai pas mentionné jusqu'ici. Je vous ai parlé, au début, d'Arthur Nicoud. A l'époque où je l'ai rencontré à je ne sais plus quel dîner, j'étais un simple député et l'idée ne me venait pas à l'esprit que je me trouverais un jour à la tête des Travaux Publics. Je savais qu'il était un des membres de la firme Nicoud et Sauvegrain, les entrepreneurs de l'avenue de la République.

« Arthur Nicoud ne se comportait pas en brasseur d'affaires mais en homme du monde. Contrairement à ce qu'on pourrait penser, ce n'est pas le type du nouveau riche, ni même du manieur d'argent. Il est cultivé. Il sait vivre. A Paris, il fréquente les meilleurs restaurants, toujours entouré de jolies femmes, surtout d'actrices et de vedettes de cinéma.

« Je crois que tout ce qui compte dans le monde des lettres, des arts, de la politique, a été invité au moins une fois à ses dimanches de Samois.

« J'y ai rencontré bon nombre de mes collègues de

la Chambre, des directeurs de journaux et des savants, des gens dont je suis prêt à garantir l'intégrité.

« Nicoud lui-même, dans sa maison de campagne, donne l'impression d'un homme pour qui rien ne compte autant que de servir à ses invités la chère la plus fine et la plus rare dans un cadre raffiné.

« Ma femme ne l'a jamais aimé.

« Nous y sommes allés une demi-douzaine de fois peut-être, jamais seuls, jamais sur un pied d'intimité. Certains dimanches, on était jusqu'à trente à déjeuner par petites tables et à se retrouver ensuite dans la bibliothèque ou autour de la piscine.

« Ce que je ne vous ai pas dit, c'est qu'une année, il y a deux ans, si je ne me trompe, oui, il y a deux ans, à Noël, ma fille a reçu un minuscule stylo en or marqué de ses initiales, qu'une carte de visite d'Arthur Nicoud accompagnait.

« J'ai failli lui faire renvoyer le cadeau. Je ne me rappelle plus à qui j'en ai parlé, un de mes collègues, et j'étais d'assez méchante humeur. Il m'a dit que le geste de Nicoud ne tirait pas à conséquence, que c'était sa manie, chaque fin d'année, d'envoyer un souvenir à la femme ou à la fille de ses hôtes. Cette année-là, c'étaient des stylos, qu'il avait dû commander par douzaines. Une autre année, cela avait été des poudriers, toujours en or, car, paraît-il, il a la passion de l'or.

« Ma fille a conservé le stylo. Je crois qu'elle s'en sert encore.

« Que, demain, quand l'histoire du rapport Calame éclatera dans la presse, on publie que la fille d'Auguste Point a reçu et accepté... »

Maigret hocha la tête. Il ne minimisait pas l'importance d'un détail comme celui-là.

— Rien d'autre ? Il ne vous a pas prêté d'argent ?

Point devint rouge jusqu'aux cheveux. Maigret comprenait pourquoi. Ce n'était pas parce qu'il avait quelque chose à se reprocher mais parce que, désormais, chacun allait avoir le droit de lui poser cette question-là.

— Jamais ! Je vous jure...

— Je vous crois. Vous ne possédez aucune action de l'entreprise Nicoud et Sauvegrain ?

Le ministre dit non, avec un sourire amer.

— Je vais, dès demain matin, faire mon possible, promit Maigret. Vous vous rendez compte que j'en sais moins que vous et que je suis aussi peu familier que possible avec les milieux politiques. Je doute, je vous l'ai dit, que nous puissions retrouver le rapport avant que celui qui l'a entre les mains s'en serve.

« Vous-même, l'auriez-vous supprimé pour sauver ceux de vos collègues qu'il compromet ? »

— Certainement pas.

— Même si le chef de votre parti vous l'avait demandé ?

— Même si le président du Conseil m'en avait fait la suggestion.

— J'en étais à peu près certain. Je m'excuse d'avoir posé la question. Maintenant, je vous quitte, monsieur le ministre.

Les deux hommes se levaient et Point tendait sa grosse main velue.

— C'est moi qui vous demande pardon de vous mêler à tout ça. Je me sentais tellement découragé, dérouté...

D'avoir remis son sort entre les mains d'un autre lui donnait un cœur plus léger. Il parlait de sa voix normale, allumait le plafonnier, ouvrait la porte.

— Vous ne pouvez venir me voir au ministère sans qu'on se pose des questions, car vous êtes trop connu. Vous ne pouvez pas non plus me téléphoner, car je me méfie des tables d'écoute, je vous l'ai déjà dit. Cet appartement n'est un secret pour personne. Comment pouvons-nous entrer en contact ?

— Je trouverai le moyen de vous joindre quand cela deviendra nécessaire. Vous pouvez toujours téléphoner chez moi, le soir, d'une cabine publique, comme vous l'avez fait aujourd'hui, et, si je n'y suis pas, laisser un message à ma femme.

Ils eurent tous les deux la même idée, au même moment, et ne purent s'empêcher de sourire. N'avaient-ils pas l'air, debout devant la porte, de conspirateurs ?

— Bonne nuit, monsieur le ministre.

— Merci, Maigret. Bonne nuit.

Le commissaire ne prit pas la peine de faire monter l'ascenseur. Il descendit les quatre étages, demanda le cordon, se retrouva dans le brouillard de la rue qui était devenu plus épais et plus froid. Il lui fallait, pour avoir des chances de trouver un taxi, marcher jusqu'au boulevard Montparnasse. Il tourna à droite, la pipe aux dents, les mains dans les poches et, comme il avait parcouru une vingtaine de mètres, deux grosses lumières s'allumèrent devant lui en même temps qu'on mettait en marche le moteur d'une voiture.

Le brouillard empêchait de juger des distances. Un instant, Maigret eut l'impression que l'auto, qui commençait à rouler, venait directement sur lui, mais elle ne fit que passer après l'avoir enveloppé pendant quelques secondes d'une lumière diffuse.

Il n'avait pas eu le temps de lever la main pour

cacher son visage. Il avait d'ailleurs dans l'idée que cela aurait été inutile.

Selon toute probabilité, quelqu'un avait cherché à savoir qui, ce soir-là, avait rendu une longue visite à l'appartement du ministre dont les fenêtres là-haut, étaient éclairées.

Maigret, haussant les épaules, continua sa route, ne rencontra qu'un couple qui marchait lentement, bras dessus, bras dessous, bouche à bouche, et qui faillit le bousculer.

Il finit par trouver un taxi. Chez lui, boulevard Richard-Lenoir, il y avait encore de la lumière. Il sortit sa clef, comme toujours. Comme toujours aussi, sa femme lui ouvrit avant qu'il eût trouvé la serrure. Elle était en chemise de nuit, pieds nus, les yeux gonflés de sommeil et elle alla tout de suite remplir le creux qu'elle avait occupé dans le lit.

— Quelle heure est-il ? demanda-t-elle d'une voix lointaine.

— Une heure dix.

Il sourit en pensant que, dans un autre appartement, plus somptueux mais anonyme, un couple vivait à peu près les mêmes moments.

Point et sa femme n'étaient pas chez eux. Ce n'était pas leur chambre, ni leur lit. Ils étaient étrangers à l'immense bâtiment officiel qu'ils habitaient et qui devait leur sembler plein d'embûches.

— Qu'est-ce qu'il te voulait ?

— A vrai dire, je ne sais pas au juste.

Elle n'était qu'à moitié réveillée et s'efforçait de s'éveiller tout à fait pendant qu'il se déshabillait.

— Tu ne sais pas pourquoi il voulait te voir ?

— Plutôt pour me demander conseil.

Il ne voulait pas employer le mot réconfort, qui aurait été plus juste. C'était drôle. Il lui semblait que si, ici, dans l'intimité familière, presque palpable, de son appartement, il avait prononcé les mots « rapport Calame » il aurait éclaté de rire.

Boulevard Pasteur, une demi-heure plus tôt, ces mots-là avaient une résonance dramatique. Un ministre aux abois les prononçait avec une sorte de terreur. Un président du Conseil s'était dérangé pour en parler comme de la plus importante affaire d'Etat.

Il s'agissait d'une trentaine de feuilles de papier qui avaient traîné pendant des années dans un grenier ou ailleurs sans que personne s'en occupât et qu'un surveillant d'école avait découvertes, peut-être par hasard.

— A quoi penses-tu ?

— A un certain Piquemal.

— Qui est-ce ?

— Je ne sais pas au juste.

C'était vrai qu'il pensait à Piquemal, ou plutôt qu'il se répétait les trois syllabes de son nom en les trouvant comiques.

— Dors bien.

— Toi aussi. Au fait, demain, réveille-moi à sept heures.

— Pourquoi si tôt ?

— J'ai un coup de téléphone à donner.

Mme Maigret avait déjà tendu le bras pour éteindre l'électricité dont l'interrupteur était placé de son côté.

3

L'INCONNU DU PETIT BAR

UNE main toucha doucement son épaule en même temps qu'une voix soufflait à son oreille :

— Maigret ! Il est sept heures.

L'odeur de la tasse de café que sa femme tenait à la main lui montait aux narines. Ses sens et son cerveau se mettaient à fonctionner un peu à la façon d'un orchestre quand, dans la fosse, les musiciens essaient leurs instruments. Il n'y avait pas encore coordination. Sept heures, donc un jour différent des autres, car il se levait d'habitude à huit. Sans ouvrir les paupières, il découvrait qu'il y avait du soleil, alors que la journée de la veille avait été brumeuse. Avant que la notion de brouillard lui rappelle le boulevard Pasteur, il se sentit dans la bouche un mauvais goût que depuis longtemps, il n'avait pas retrouvé au réveil. Il se demanda s'il allait avoir la gueule de bois, pensa aux petits verres sans pied et à l'alcool de pays du ministre.

Maussade, il ouvrit les yeux, s'assit dans son lit, un peu rassuré en constatant qu'il n'avait pas mal à la tête. Il ne s'était pas rendu compte, la veille au soir, qu'ils avaient vidé chacun leur verre un certain nombre de fois.

— Fatigué ? lui demandait sa femme.

— Non. Ça ira.

Les yeux gonflés, il buvait son café à petites gorgées en regardant autour de lui et murmurait d'une voix encore pleine de sommeil :

— Il fait beau.

— Oui. Il y a de la gelée blanche.

Le soleil avait l'acidité et la fraîcheur d'un vin blanc de campagne. La vie de Paris commençait, boulevard Richard-Lenoir, par un certain nombre de bruits familiers.

— Tu dois sortir si tôt ?

— Non. Il faut seulement que je téléphone à Chabot et, après huit heures, je risque de ne pas le trouver chez lui. Si c'est jour de marché à Fontenay-le-Comte, il sera même dehors dès sept heures et demie.

Julien Chabot, qui était devenu juge d'instruction à Fontenay-le-Comte, où il vivait avec sa mère dans la grande maison de sa naissance, était un de ses amis du temps où il étudiait à Nantes et Maigret était passé le voir, deux ans plus tôt, en revenant d'un congrès à Bordeaux. La vieille Mme Chabot assistait à la première messe, celle de six heures du matin, et, à sept heures déjà, la maison bruissait de vie ; à huit heures, Julien sortait, non pour se rendre au Palais de Justice où il n'était guère accablé de travail, mais pour flâner dans les rues de la ville ou le long de la Vendée.

— Donne-m'en une seconde tasse, veux-tu ?

Il attira vers lui le téléphone, demanda la communication. Au moment où l'opératrice répétait le numéro, il pensa soudain que, si une de ses hypothèses de la veille était vraie, il était d'ores et déjà branché sur la table d'écoute. Cela le rendit grognon. Il retrouvait tout d'un coup l'écœurement qui l'avait saisi quand, contre son gré, il avait été pris lui-même dans une machination politique. De là à en vouloir à Auguste Point, qu'il ne connaissait ni d'Eve ni d'Adam, qu'il n'avait jamais rencontré et qui avait jugé bon de s'adresser à lui pour le tirer d'embarras...

— Mme Chabot ?... Allô !... C'est Mme Chabot qui est à l'appareil ?... Ici, Maigret... Non ! Maigret...

Elle était dure d'oreille. Il dut répéter son nom cinq ou six fois, préciser :

— Jules Maigret, celui qui est dans la police...

Alors elle s'exclama :

— Vous êtes à Fontenay ?

— Non. Je téléphone de Paris. Votre fils est-il là ?

Elle criait trop fort, trop près de l'appareil. Il n'entendait pas ce qu'elle disait. Il s'écoula bien une minute avant que la voix de son ami Chabot lui parvînt.

— Julien ?

— Oui.

— Tu m'entends ?

— Aussi clairement que si tu téléphonais de la gare. Comment vas-tu ?

— Très bien. Ecoute. Je te dérange pour te demander quelques renseignements. Tu étais en train de déjeuner ?

— Oui. Cela ne fait rien.

— Tu as connu Auguste Point ?

— Celui qui est ministre ?

— Oui.

— Je le rencontrais souvent quand il était avocat à La Roche-sur-Yon.

— Qu'est-ce que tu en penses ?

— C'est un homme remarquable.

— Donne-moi des détails. Tout ce qui te passe par la tête.

— Son père, Evariste Point, tient, à Sainte-Hermine, la ville de Clemenceau, un hôtel fameux, non pour ses chambres, mais pour sa bonne cuisine. Des gourmets viennent de loin pour y manger. Il doit avoir dans les quatre-vingts ans. Depuis quelques années, il a remis l'affaire à son beau-fils et à sa fille, mais il continue de s'en occuper. Auguste Point, son seul fils, a fait ses études à peu près en même temps que nous, mais à Poitiers, puis à Paris. Tu es toujours là ?

— Oui.

— Je continue ? C'était un fort en thème, un bûcheur. Il a ouvert un cabinet d'avocat place de la Préfecture, à La Roche-sur-Yon. Tu connais la ville. Il y est resté pendant des années, à s'occuper surtout de litiges entre fermiers et propriétaires. Il a épousé la fille d'un avoué, Arthur Belion, qui est mort il y a deux ou trois ans et dont la veuve vit encore à La Roche.

« Je suppose que, sans la guerre, Auguste Point continuerait tranquillement à plaider en Vendée et à Poitiers.

« Pendant les années d'Occupation, il n'a pas fait parler de lui, menant son petit train de vie comme si de rien n'était. Tout le monde a été surpris quand, quelques semaines avant la retraite des Allemands, ceux-ci l'ont arrêté et emmené à Niort, puis quelque part en Alsace. Dans le même coup de filet, ils ont ramassé trois ou quatre autres personnes, dont un chirurgien de Bressuires, et c'est ainsi qu'on a appris que, durant toute la guerre, Point avait logé, dans une ferme qu'il possède près de La Roche, des agents

anglais et des aviateurs échappés des camps allemands.

« On l'a vu revenir, maigre et mal portant,
quelques jours après la Libération. Il n'a pas essayé
de se mettre en valeur, ne s'est glissé dans aucun
comité, n'a défilé dans aucun cortège.

« Tu te rappelles le désordre qui régnait à
l'époque. La politique s'en mêlait. On ne savait plus
où étaient les purs et les impurs.

« C'est vers lui qu'on a fini par se tourner quand
on n'a plus été sûr de rien.

« Il a fait du bon travail, toujours sans bruit, sans
se laisser tourner la tête, et nous l'avons envoyé à
Paris comme député.

« C'est à peu près toute son histoire. Les Point ont
conservé leur maison place de la Préfecture. Ils vivaient à Paris pendant les sessions de la Chambre, en
revenaient aussitôt et Point a toujours gardé une
partie de sa clientèle.

« Je crois que sa femme l'aide beaucoup. Ils ont
une fille. »

— Je sais.

— Alors, tu en sais autant que moi.

— Tu connais sa secrétaire ?

— Mlle Blanche ? Je l'ai vue souvent dans son
bureau. Nous l'appelons le Dragon, à cause de
l'ardeur farouche avec laquelle elle veille sur son
patron.

— Rien d'autre à dire d'elle ?

— Je suppose qu'elle en est amoureuse, à la façon
des vieilles filles.

— Elle travaillait pour lui avant d'être une vieille
fille.

— Je sais. Mais c'est une autre question, et je suis
incapable d'y répondre. Que se passe-t-il ?

— Rien encore. Tu connais un certain Jacques Fleury ?

— Mal. Je l'ai rencontré deux ou trois fois il y a au moins vingt ans. Il doit vivre à Paris. J'ignore ce qu'il fait.

— Je te remercie et je te demande encore pardon pour le petit déjeuner que je t'ai fait rater.

— Ma mère le tient au chaud.

Ne sachant que dire d'autre, Maigret ajouta :

— Il fait beau, là-bas ?

— Il y a du soleil, mais les toits sont blancs de gelée.

— Il fait froid ici aussi. A bientôt, vieux. Mes respects à ta mère.

— Au revoir, Jules.

Pour Julien Chabot, ce coup de téléphone était un événement et il allait y penser pendant sa promenade dans les rues de la ville, se demandant pourquoi Maigret se préoccupait des faits et gestes du ministre des Travaux Publics.

Le commissaire déjeuna, lui aussi, avec toujours un arrière-goût d'alcool dans la bouche et, quand il sortit, il décida de faire le chemin à pied, s'arrêta dans un bistrot de la place de la République pour se nettoyer l'estomac d'un coup de blanc.

Contrairement à son habitude, il acheta tous les journaux du matin, arriva Quai des Orfèvres juste à temps pour le rapport.

Tant que ses collègues furent réunis dans le bureau du chef, il ne dit rien, écouta à peine, regarda vaguement la Seine et les passants sur le pont Saint-Michel. Il resta le dernier. Le chef savait ce que cela voulait dire.

— Qu'est-ce qu'il y a, Maigret ?

— Une tuile ! répondit-il d'abord.

— Dans le service ?

— Non. Paris n'a jamais été aussi calme que ces cinq derniers jours. Seulement, hier au soir, j'ai été appelé personnellement par un ministre qui m'a prié de m'occuper d'une affaire que je n'aime pas. Je n'ai pas pu faire autrement que d'accepter. Je l'ai prévenu que je vous en parlerais, mais sans vous donner de détails.

Le directeur de la P.J. fronça les sourcils.

— Une affaire très embêtante ?

— Très.

— Qui a un lien avec la catastrophe de Clairfond ?

— Oui.

— C'est un ministre, à titre personnel, qui vous charge d'une mission ?

— Le président du Conseil est au courant.

— Je n'ai pas envie d'en savoir davantage. Allez-y, mon vieux, puisqu'il le faut. Soyez prudent.

— J'essayerai.

— Vous avez besoin d'hommes ?

— Trois ou quatre, sans doute. Ils ignoreront de quoi il s'agit au juste.

— Pourquoi ne se sont-ils pas adressés à la Sûreté Nationale ?

— Vous ne comprenez pas ?

— Si. C'est bien ce qui m'inquiète pour vous. Enfin !...

Maigret regagna son bureau, alla ouvrir la porte de celui des inspecteurs.

— Tu veux venir un instant, Janvier ?

Puis, apercevant Lapointe qui se préparait à sortir :

— Tu as un travail important ?

— Non, patron. Juste de la routine.

— Passe l'affaire à quelqu'un d'autre et attends-moi. Toi aussi, Lucas.

Une fois chez lui avec Janvier, il ferma la porte.

— Je vais te charger d'une corvée, vieux. Il n'y aura pas de rapport écrit à rédiger, ni de comptes à rendre à personne d'autre qu'à moi. Si tu commets une imprudence, cela peut te coûter cher.

Janvier sourit, heureux qu'on lui confie une tâche délicate.

— Le ministre des Travaux Publics a une secrétaire qui s'appelle Blanche Lamotte et qui est âgée d'environ quarante-trois ans.

Il avait sorti son calepin noir de sa poche.

— J'ignore où elle habite et quelles sont ses heures de service. J'ai besoin de connaître ses faits et gestes, le genre de vie qu'elle mène en dehors du ministère et les gens qu'elle fréquente. Il ne faut pas qu'elle, ni personne, se doute que la P.J. s'occupe d'elle. Peut-être, en guettant la sortie des employés, à midi, pourras-tu savoir où elle déjeune. Arrange-toi. Si elle s'aperçoit que tu t'intéresses à elle, joue au besoin les amoureux.

Janvier, qui était marié et venait d'avoir un quatrième enfant, fit la grimace.

— Entendu, patron. Je ferai de mon mieux. Il n'y a pas une chose déterminée que vous désirez que je découvre ?

— Non. Apporte-moi tout ce que tu trouveras et je verrai ce qui peut servir ou non.

— Urgent ?

— Très. Tu n'en parles à personne, même pas à Lapointe ou à Lucas. Compris ?

Il alla ouvrir à nouveau la porte de communication.

— Lapointe ! Viens ici.

Le petit Lapointe, comme tout le monde l'appelait parce qu'il était le dernier venu dans la maison et qu'il avait plutôt l'air d'un étudiant que d'un policier, comprenait déjà qu'il s'agissait d'une mission de confiance et en était ému.

— Tu connais l'Ecole des Ponts et Chaussées ?

— Rue des Saint-Pères, oui. J'ai longtemps déjeuné dans un petit restaurant qui est presque en face.

— Bon. Il existe, là-bas, un surveillant nommé Piquemal. Son prénom est Jules, comme moi. Je ne sais pas s'il est logé dans l'école ou non. J'ignore tout de lui et je désire en connaître le plus possible.

Il répéta à peu de chose près ce qu'il avait dit à Janvier.

— Je ne sais pourquoi, à la description qu'on m'en a fourni, il me fait l'effet d'un célibataire. Peut-être habite-t-il en meublé ? Dans ce cas, prends une chambre dans le même hôtel et fais-toi passer pour un étudiant.

Ce fut enfin le tour de Lucas, avec un discours similaire, à la différence près que Lucas était chargé de Jacques Fleury, le chef de cabinet du ministre.

Ces trois-là avaient eu rarement leur photographie dans les journaux. Le grand public ne les connaissait pas. Plus exactement, il ne connaissait guère Lucas que de nom.

Bien entendu, si la Sûreté Nationale était sur l'affaire, on les reconnaîtrait immédiatement, mais c'était inévitable. Dans ce cas, d'ailleurs, comme Maigret l'avait déjà pensé le matin, ses communications téléphoniques, que ce soit de chez lui ou du Quai, étaient écoutées par la rue des Saussaies.

Quelqu'un, la nuit précédente, l'avait délibérément éclairé autant qu'il était possible de le faire dans le

brouillard et, si ce quelqu'un connaissait la retraite
d'Auguste Point, savait qu'il s'y trouvait ce soir-là et
qu'il avait un visiteur, il devait être à même aussi de
reconnaître Maigret au premier coup d'œil.

Une fois seul dans son bureau, il alla ouvrir la
fenêtre comme si, de s'être occupé de cette affaire, lui
donnait envie d'une bouffée d'air pur. Les journaux
étaient sur sa table. Il faillit les ouvrir, préféra liqui-
der d'abord les affaires courantes, signer des rapports, des citations à comparaître.

Cela lui faisait presque chérir les petits voleurs, les
maniaques, les escrocs, les malfaiteurs de tout acabit
dont il avait à s'occuper d'habitude.

Il donna des coups de téléphone, retourna chez les
inspecteurs distribuer des instructions qui n'avaient
rien à voir avec Point ni avec le maudit rapport
Calame.

A cette heure, Auguste Point avait déjà dû se
rendre chez le président. Avait-il d'abord tout raconté
à sa femme comme le commissaire le lui avait
conseillé ?

Il faisait plus frais qu'il n'avait pensé et il dut
refermer la fenêtre. Il s'installa dans son fauteuil,
ouvrit enfin le premier journal de la pile.

Tous parlaient encore de la catastrophe de Clairfond, et tous, quel que fût leur parti, étaient obligés,
à cause de l'opinion publique, de réclamer une
enquête à cor et à cri.

C'était surtout à Arthur Nicoud que la plupart s'en
prenaient. Un article, entre autres, portait le titre :

Le Monopole Nicoud-Sauvegrain

On y publiait la liste des travaux confiés durant les
dernières années à la firme de l'avenue de la République par le gouvernement et par certaines munici-

palités. En regard figurait, en colonne, le prix de ces travaux, dont le total s'élevait à plusieurs milliards.

En conclusion, on lisait :

Il serait intéressant d'établir la liste des personnages officiels, ministres, députés, sénateurs, conseillers municipaux de la ville de Paris et d'ailleurs qui ont été les hôtes d'Arthur Nicoud dans sa somptueuse propriété de Samois.

Peut-être aussi l'examen attentif des talons de chèques de M. Nicoud serait-il révélateur ?

Un seul journal, *le Globe*, dont le député Mascoulin était, sinon le propriétaire, tout au moins l'inspirateur, avait une manchette dans le genre du fameux *J'accuse* de Zola :

Est-il vrai que... ?

Suivaient, en plus gros caractères que les articles habituels, avec un encadrement qui renforçait encore le texte, un certain nombre de questions :

Est-il vrai que l'idée du sanatorium de Clairfond n'est pas née dans l'esprit de législateurs soucieux de la santé de l'enfance, mais dans celui d'un marchand de béton ?

Est-il vrai que cette idée, voilà cinq ans, a été inoculée à un certain nombre de hauts personnages au cours de déjeuners somptueux donnés par ce marchand de béton dans sa propriété de Samois ?

Est-il vrai qu'on n'y trouvait pas seulement bon vin et bonne chère, mais que les hôtes sortaient fréquemment du bureau privé de l'homme d'affaires avec un chèque dans leur poche ?

Est-il vrai que, lorsque le projet a pris corps, tous ceux qui connaissent le site choisi pour le fabuleux sanatorium ont compris la folie et le danger de l'entreprise ?

*Est-il vrai que la commission parlementaire char-
gée des recommandations à la Chambre et présidée
par le frère de l'actuel président du Conseil s'est vue
obligée de faire appel aux lumières d'un spécialiste
d'une réputation incontestée ?*

*Est-il vrai que ce spécialiste, Julien Calame, pro-
fesseur de mécanique appliquée et d'architecture
civile à l'Ecole Nationale des Ponts et Chaussées, est
allé passer trois semaines sur les lieux avec les
plans... ?*

*... qu'à son retour, il a remis à qui de droit un
rapport catastrophique pour les supporters du projet ?*

*... que les crédits n'en ont pas moins été votés et
que la construction de Clairfond a commencé
quelques semaines plus tard ?*

*Est-il vrai que jusqu'à sa mort, survenue il y a
deux ans, Julien Calame, de l'avis de tous ceux qui
l'ont approché, a donné l'impression d'un homme qui
a un poids sur la conscience ?*

*Est-il vrai que, dans son rapport, il prévoyait la
catastrophe de Clairfond presque exactement comme
elle s'est produite ?*

*Est-il vrai que le rapport Calame, qui a pourtant
dû exister à un certain nombre d'exemplaires, a disparu des archives de la Chambre, ainsi que de celles
des différents ministères intéressés ?*

*Est-il vrai qu'une trentaine de personnages consu-
laires, pour le moins, depuis la catastrophe, vivent
dans la terreur qu'on retrouve une copie de ce rapport ?*

*Est-il vrai que, malgré les précautions prises, cette
découverte a eu lieu à une date toute récente... ?*

*... et que la copie miraculeusement sauvée a été
remise à qui de droit ?*

Un titre barrait la page.

Nous voulons savoir :

Le rapport Calame est-il toujours entre les mains de celui à qui il a été remis ?

A-t-il été détruit afin de sauver la bande de politiciens compromis ?

S'il ne l'a pas été, où se trouve-t-il à l'heure où nous écrivons et pourquoi n'a-t-il pas encore été publié, alors que l'opinion publique réclame à juste titre la punition des vrais coupables d'une catastrophe qui a coûté la vie de cent vingt-huit jeunes Français ?

Enfin, en bas de page, et dans le même caractère que les deux titres précédents :

Où est le rapport Calame ?

Maigret se surprit à s'essuyer le front. Il n'était pas difficile d'imaginer les réactions d'Auguste Point à la lecture du même article.

Le Globe ne jouissait pas d'une large circulation. C'était un journal d'opinion. Il ne représentait aucun des grands partis, mais une faction peu nombreuse, à la tête de laquelle se trouvait Joseph Mascoulin.

Les autres journaux n'allaient pas moins ouvrir une enquête, chacun de son côté, afin de découvrir la vérité.

Et cette vérité, Maigret désirait, lui aussi, qu'on la découvre, à condition qu'on la découvre tout entière.

Or, il avait l'impression que ce n'était pas ce qu'on cherchait. Si Mascoulin, par exemple, était l'homme entre les mains de qui le rapport se trouvait à présent, pourquoi, au lieu de poser des questions, ne le publiait-il pas en aussi grosses lettres que son article ?

Du coup, il aurait provoqué une crise ministérielle, un nettoyage radical des rangs parlementaires et il serait apparu aux yeux du public comme le défenseur des intérêts du peuple et de la moralité politique.

C'était pour lui, qui avait toujours travaillé dans la coulisse, l'occasion unique de se hisser au premier rang de l'actualité et, sans doute, dans les années à venir, de jouer un rôle prestigieux.

S'il possédait le document, pourquoi ne le publiait-il pas ?

C'était au tour de Maigret, comme dans l'article, de poser des questions.

Si Mascoulin ne l'avait pas, comment savait-il que le rapport avait été retrouvé ?

Comment avait-il appris qu'il avait été remis par Piquemal à un personnage officiel ?

Et comment pouvait-il soupçonner que Point ne l'avait pas remis à son tour en plus haut lieu ?

Maigret n'était pas, ne voulait pas être au courant des dessous de la politique. Il n'avait pourtant pas besoin d'en savoir long sur les tripotages qui se mijotent en coulisse pour remarquer :

1º Que c'est dans un journal louche, sinon de chantage, *la Rumeur,* appartenant à Hector Tabard, que, par trois fois, depuis la catastrophe de Clairfond, il avait été fait mention du rapport Calame.

2º Que la découverte de ce rapport avait suivi cette publication dans des conditions assez étranges.

3º Que Piquemal, simple surveillant à l'Ecole des Ponts et Chaussées, s'était rendu directement au cabinet du ministre au lieu de passer par la voie hiérarchique, en l'occurrence par le directeur de l'Ecole.

4° Que Joseph Mascoulin était au courant de cette remise.

5° Qu'il semblait au courant de la disparition du rapport.

Mascoulin et Tabard jouaient-ils le même jeu ? Le jouaient-ils ensemble ou chacun de son côté ?

Maigret alla une fois de plus ouvrir la fenêtre et resta longtemps à regarder les quais de la Seine en fumant sa pipe. Jamais il ne s'était occupé d'une affaire aussi embrouillée, avec aussi peu d'éléments à sa disposition.

Qu'il s'agît d'un cambriolage ou d'un meurtre, il se trouvait d'emblée sur un terrain familier. Ici, au contraire, il était question de gens dont il connaissait vaguement le nom et la réputation par les journaux.

Il savait, par exemple, que Mascoulin déjeunait chaque jour à la même table d'un restaurant de la place des Victoires, *le Filet de Sole*, où, à tout moment, quelqu'un venait lui serrer la main ou lui chuchoter des informations.

Mascoulin passait pour être au courant de la vie privée de tous les politiciens. Ses interpellations étaient rares, son nom ne paraissait guère dans les journaux qu'à la veille d'un vote important. On lisait alors :

Le député Mascoulin prédit que le projet sera adopté par trois cent quarante-deux voix.

Les gens du métier prenaient ces pronostics pour parole d'Evangile, car Mascoulin se trompait rarement, et, au plus, de deux ou trois voix.

Il ne faisait partie d'aucune commission, ne présidait aucun comité et cependant on le craignait plus que le chef d'un grand parti.

Maigret eut envie, vers midi, de se rendre au *Filet*

de Sole et d'y déjeuner, ne fût-ce que pour regarder
de plus près l'homme qu'il n'avait fait qu'apercevoir
dans des cérémonies officielles.

Mascoulin était célibataire, encore qu'il eût dépassé
la quarantaine. On ne lui connaissait pas de maîtres-
ses. On ne le rencontrait ni dans les salons, ni dans
les théâtres ou les cabarets de nuit.

Il avait une longue tête osseuse et, dès midi, ses
joues semblaient n'avoir pas été rasées. Il s'habillait
mal, plus exactement ne s'inquiétait pas de ses vêtements qui n'étaient jamais pressés et qui lui donnaient un air de propreté douteuse.

Pourquoi Maigret se disait-il, d'après la description
que Point lui avait fournie de Piquemal, que celui-ci
devait être un homme du même genre ?

Il se méfiait des solitaires, des gens qui n'ont pas
une passion avouée.

En fin de compte, il n'alla pas déjeuner au *Filet de
Sole*, parce que cela aurait ressemblé à une déclaration de guerre, et il se dirigea vers la *Brasserie
Dauphine*. Il y retrouva deux collègues avec qui il
put, pendant une heure, parler d'autre chose que du
rapport Calame.

Un des journaux de l'après-midi reprenait en partie
le thème du *Globe*, beaucoup plus prudemment, en
phrases voilées, demandant seulement quelle était la
vérité au sujet du rapport Calame. Un rédacteur avait
essayé d'interviewer à ce sujet le président du
Conseil, mais n'avait pu approcher celui-ci.

On ne parlait pas de Point, car la construction du
sanatorium dépendait en réalité du ministère de la
Santé Publique.

Il était trois heures quand on frappa à la porte de
Maigret, qui s'ouvrit dès qu'il eut poussé un grogne-
ment. C'était Lapointe, la mine préoccupée.

— Tu as du nouveau ?

— Rien de définitif, patron. Jusqu'ici, cela peut encore être un hasard.

— Raconte en détail.

— J'ai essayé de suivre vos instructions. Vous me direz si j'ai fait des fautes. D'abord, j'ai téléphoné à l'Ecole des Ponts et Chaussées en prétendant que j'étais un cousin de Piquemal, que je venais d'arriver à Paris, que j'aimerais le voir et que je n'avais pas son adresse.

— On te l'a fournie ?

— Sans la moindre hésitation. Il habite l'*Hôtel du Berry*, rue Jacob. C'est un meublé modeste, où il n'y a qu'une trentaine de chambres et où la patronne elle-même fait une partie du nettoyage tandis que le patron tient le bureau. Je suis passé chez moi chercher une valise pour me présenter rue Jacob en me donnant l'air d'un étudiant, comme vous me l'aviez conseillé. J'ai eu la chance qu'une chambre soit libre et je l'ai louée pour une semaine. Il était à peu près dix heures et demie quand je suis descendu et que je me suis arrêté au bureau pour bavarder avec le patron.

— Tu lui as parlé de Piquemal ?

— Oui. Je lui ai dit que je l'avais connu en vacances, que je croyais me souvenir que c'était ici qu'il habitait.

— Qu'est-ce qu'il t'a appris ?

— Qu'il était sorti. Il quitte l'hôtel chaque matin à huit heures et se dirige vers un petit bar, au coin de la rue, où il prend son café et ses croissants. Il doit en effet se trouver à l'Ecole à huit heures et demie.

— Il revient à l'hôtel pendant la journée ?

— Non. Il rentre régulièrement vers sept heures et demie, monte dans sa chambre, dont il ne sort, le soir, qu'une ou deux fois par semaine. Il paraît que c'est le garçon le plus régulier de la terre, qu'il ne reçoit personne, ne voit pas de femmes, ne fume pas, ne boit pas, passe ses soirées et parfois une partie de ses nuits à lire.

Maigret sentait que Lapointe en avait davantage dans son sac et attendait patiemment.

— Peut-être ai-je eu tort ? J'ai cru bien faire. Quand j'ai appris que sa chambre était au même étage que la mienne et que j'en ai connu le numéro, j'ai pensé que vous aimeriez savoir ce qu'il y avait dedans. De jour, l'hôtel est à peu près vide. Il y avait seulement, au troisième, quelqu'un qui jouait du saxophone, sans doute un musicien qui répétait, et j'entendais la bonne à l'étage au-dessus de moi. J'ai essayé ma clef, à tout hasard. Ce sont des clefs simples, d'ancien modèle. Cela n'a pas marché tout de suite mais, en la maniant d'une certaine manière, j'ai pu ouvrir la porte.

— J'espère que Piquemal n'était pas chez lui ?

— Non. Si on cherche mes empreintes digitales, on en trouvera partout, car je n'avais pas de gants. J'ai ouvert les tiroirs, le placard, ainsi qu'une valise non fermée à clef qu'il y avait dans un coin. Piquemal ne possède qu'un complet de rechange, gris sombre, ainsi qu'une paire de chaussures noires. Il manque des dents à son peigne. Sa brosse à dents est usée. Il ne se sert pas de crème à raser mais d'un blaireau. Le patron de l'hôtel ne se trompe pas en disant qu'il passe ses soirées à lire. Il y a des livres dans tous les coins, surtout des ouvrages de philosophie, d'économie politique et d'histoire. La plupart ont été achetés d'occasion sur les quais. Trois ou quatre portent le cachet de bibliothèques publiques. J'ai copié certains noms d'auteurs : Engels, Spinoza, Kierkegaard, saint

Augustin, Karl Marx, le Père Sertillange, Saint-Simon... Cela vous dit quelque chose ?

— Oui. Continue.

— Une boîte en carton qui se trouve dans un des tiroirs contient des cartes de membre anciennes et récentes, certaines qui datent de vingt ans, d'autres de trois ans seulement. La plus vieille est de l'Association des Croix de Feu. Il y en a une autre, datée 1937, d'adhérent à l'Action Française. Tout de suite après la guerre, Piquemal a fait partie d'une section du parti communiste. La carte a été renouvelée pendant trois ans.

Lapointe consultait ses notes.

— Il a aussi appartenu à la Ligue Internationale de Théosophie dont le siège est en Suisse. Vous connaissez ?

— Oui.

— Deux des livres, j'ai oublié de vous le dire, traitent du Yoga et, tout à côté, se trouve un manuel pratique de judo.

Piquemal, en somme, avait tout essayé des religions et des théories philosophiques ou sociales. Il était de ceux qu'on voit, le regard fixe, marcher derrière des bannières dans les défilés des partis extrémistes.

— C'est tout ?

— Pour ce qui est de sa chambre, oui. Pas de lettres. En descendant, j'ai demandé au patron s'il n'en recevait jamais et il m'a répondu qu'il ne voyait guère dans son courrier que des prospectus et des convocations. Je suis allé au bistrot du coin. C'était malheureusement l'heure de l'apéritif. Il y avait du monde autour du comptoir. J'ai dû attendre longtemps et prendre deux verres avant de pouvoir parler au patron sans avoir l'air de mener une enquête. Je lui ai servi le même boniment, que j'arrivais de province, que j'avais hâte de voir Piquemal.

« — Le professeur ? m'a-t-il dit.

« Ce qui semble indiquer que, dans certains milieux, Piquemal se faisait passer pour professeur.

« — Si vous étiez venu à huit heures... Maintenant, il doit être en train de donner son cours... Je ne sais pas où il déjeune...

« — Il est venu ce matin ?

« — Il s'est accoudé près de la corbeille de croissants, comme d'habitude. Il en mange toujours trois. Même que ce matin quelqu'un que je ne connais pas et qui était arrivé avant lui s'est approché de lui et lui a adressé la parole.

« D'habitude, M. Piquemal n'est pas liant. Il doit avoir trop de choses en tête pour perdre son temps à des conversations sans importance. Poli, mais froid, vous comprenez ? Bonjour ! Combien ? Bonsoir !... Moi, cela ne me froisse pas, car j'ai d'autres clients, comme lui, qui travaillent du cerveau, et j'imagine ce que cela doit être.

« Ce qui m'a le plus surpris, c'est de voir M. Piquemal s'en aller avec l'inconnu et, au lieu de tourner à gauche comme les autres matins, ils ont tourné à droite. »

— On t'a décrit le client ?

— Mal. Un homme d'une quarantaine d'années, l'air d'un employé ou d'un voyageur de commerce. Il est entré sans rien dire un peu avant huit heures, a gagné le bout du comptoir et a commandé un café arrosé. Ni barbe ni moustache. Plutôt corpulent.

Maigret ne put s'empêcher de penser que c'était la description de quelques douzaines d'inspecteurs de la rue des Saussaies.

— Tu ne sais rien de plus ?

— Si. Après avoir déjeuné, j'ai téléphoné à nouveau à l'Ecole des Ponts et Chaussées. J'ai demandé
à parler à Piquemal. Cette fois-ci, je n'ai pas dit qui
j'étais et on ne m'a rien demandé. On m'a seulement
répondu qu'on ne l'avait pas vu de la journée.

« — Il est en congé ?

« — Non. Il n'est pas venu, simplement. Ce qui
est plus surprenant, c'est qu'il n'a pas téléphoné pour
avertir de son absence. C'est la première fois que cela
lui arrive.

« Je suis retourné à l'*Hôtel du Berry* et suis monté
dans ma chambre. J'ai frappé ensuite à la porte de
Piquemal. Je l'ai ouverte. Il n'y avait personne. Rien
n'avait été dérangé depuis ma première visite.

« Vous m'avez demandé tous les détails. Je suis
allé à l'Ecole, ai joué le rôle de l'ami de province.
J'ai pu savoir où il prend ses repas de midi, à cent
mètres de là, rue des Saints-Pères, dans un restaurant
tenu par des Normands.

« Je m'y suis rendu. Piquemal n'y a pas déjeuné
aujourd'hui. J'ai vu sa serviette dans un anneau nu-
méroté et une bouteille d'eau minérale entamée sur sa
table habituelle.

« C'est tout, patron.

« J'ai fait des fautes ? »

Ce qui le poussait à poser la dernière question avec
inquiétude, c'est que le front de Maigret s'était rembruni, que son visage était devenu soucieux.

Allait-il en être de cette affaire-ci comme de l'autre
affaire politique dont Maigret avait été obligé de
s'occuper et qui l'avait envoyé en disgrâce à
Luçon ?

La première fois aussi, tout était arrivé à cause
d'une certaine rivalité entre la rue des Saussaies et le
Quai des Orfèvres, chacune des deux polices recevant

des directives différentes, défendant à ce moment-là, bon gré mal gré, à cause de la lutte entre des personnages haut placés, des intérêts opposés.

A minuit, le président du Conseil apprenait que Point avait fait appel à Maigret...

A huit heures du matin, Piquemal, l'homme qui avait découvert le rapport Calame, était accosté par un inconnu, dans le petit bar où il prenait tranquillement son café, et suivait celui-ci sans résistance, sans un mot de discussion...

— Tu as bien travaillé, mon petit.

— Pas de fautes d'orthographe ?

— Je ne crois pas.

— Maintenant ?

— Je ne sais pas. Peut-être ferais-tu mieux de rester à l'*Hôtel du Berry*, pour le cas où Piquemal réapparaîtrait.

— Dans ce cas, je vous téléphone ?

— Oui. Ici ou chez moi.

Un des deux hommes à avoir lu le rapport Calame avait disparu...

Restait Point, qui l'avait lu aussi, mais qui, lui, était ministre, par conséquent plus difficile à escamoter.

D'y penser, Maigret retrouvait dans sa bouche l'arrière-goût de l'eau-de-vie de la nuit précédente et il eut envie d'un verre de bière dans un endroit où l'on se trouve coude à coude avec des gens ordinaires qui s'occupent de leurs petites affaires.

4

LUCAS N'EST PAS CONTENT

MAIGRET s'en revenait de la *Brasserie Dauphine*, où il était allé boire un demi, quand il vit Janvier qui se dirigeait à pas rapides vers la P.J.

Il faisait presque chaud, dans le milieu de l'après-midi. Le soleil avait perdu sa pâleur et pour la première fois de l'année Maigret avait laissé son pardessus au bureau. Il cria « Hep ! » deux ou trois fois. Janvier s'immobilisa, l'aperçut, alla à lui.

— Tu as envie d'un verre ?

Sans raison précise, le commissaire n'avait pas envie de retourner tout de suite Quai des Orfèvres. Le printemps devait y être pour quelque chose, et aussi l'atmosphère trouble dans laquelle il était plongé depuis la veille.

Janvier avait une drôle de tête, celle d'un homme, sembla-t-il à Maigret, qui ne sait pas trop s'il va recevoir un savon ou des félicitations. Au lieu de rester au bar, ils allèrent s'asseoir dans la salle du fond où, à cette heure, il n'y avait personne.

— De la bière ?

— Si vous voulez.

Ils se turent jusqu'à ce qu'ils fussent servis.

— Nous ne sommes pas les seuls à nous occuper de la demoiselle, patron, murmura alors Janvier. J'ai même l'impression qu'il y a des tas de gens à s'intéresser à elle.

— Raconte.

— Mon premier soin, ce matin, a été d'aller faire un tour aux environs du ministère, boulevard Saint-Germain. Je n'en étais pas à cent mètres que j'apercevais Rougier qui, sur le trottoir opposé, avait l'air de s'intéresser aux moineaux.

Tous les deux connaissaient Gaston Rougier, un inspecteur de la rue des Saussaies avec qui ils entretenaient d'ailleurs les meilleurs rapports. C'était un bon garçon, qui habitait la banlieue et avait toujours les poches pleines de photographies de ses six ou sept enfants.

— Il t'a vu ?

— Oui.

— Il t'a parlé ?

— Le boulevard était presque désert. Je ne pouvais pas faire demi-tour. Quand je suis arrivé à sa hauteur, il m'a demandé :

« — Toi aussi ?

« J'ai joué les imbéciles.

« — Moi aussi quoi ?

« Alors, il m'a adressé un clin d'œil.

« — Rien. Je ne te demande pas de vendre la mèche. Je trouve qu'il pleut des visages de connaissance, par ici, ce matin. Le malheur, c'est qu'il n'existe pas seulement un bistrot en face de ce f... ministère.

« D'où nous étions, nous pouvions apercevoir la cour intérieure et j'ai reconnu Ramiré, des Renseignements généraux, qui paraissait au mieux avec le concierge.

« Jouant la comédie jusqu'au bout, j'ai continué mon chemin. C'est seulement rue de Solférino que je me suis arrêté dans un café et qu'à tout hasard j'ai consulté l'annuaire des téléphones. J'y ai trouvé le nom de Blanche Lamotte et son adresse, 63, rue Vaneau.

« J'étais à deux pas. »

— Tu es encore tombé sur la Sûreté ?

— Pas exactement. Vous connaissez la rue Vaneau, qui est calme, presque provinciale, avec même quelques arbres dans des jardins. Le 63 est une maison de rapport sans prétention, mais confortable. La concierge, dans sa loge, était occupée à éplucher des pommes de terre.

« — Mlle Lamotte n'est pas chez elle ? ai-je demandé.

« Tout de suite, j'ai eu l'impression qu'elle me regardait d'un œil goguenard. Je n'en ai pas moins poursuivi :

« — Je suis inspecteur dans une compagnie d'assurances. Mlle Lamotte a fait une demande pour une assurance-vie et je me livre à l'enquête habituelle.

« Elle n'a pas éclaté de rire, mais c'est tout comme. Elle m'a lancé :

« — Combien y a-t-il de polices différentes à Paris ?

« — Je ne sais pas ce que vous voulez dire.

« — D'abord, vous, je vous ai déjà vu, avec un gros commissaire dont j'ai oublié le nom, quand la petite dame du 57 a pris trop de comprimés de somnifère il y a deux ans. Ensuite, vos collègues n'y sont pas allés par quatre chemins.

« — Il en est venu beaucoup ? ai-je questionné.

« — Il y a d'abord eu celui d'hier matin.

« — Il vous a montré sa médaille ?

« — Je ne la lui ai pas demandée. Je ne vous

demande pas la vôtre non plus. Je suis capable de
reconnaître un policier quand j'en vois un.

« — Il vous a posé beaucoup de questions ?

« — Quatre ou cinq : si elle vit seule ; si elle
reçoit parfois la visite d'un homme d'une cinquantaine d'années, assez corpulent... J'ai dit que non.

« — C'est la vérité ?

« — Oui. Puis si, en rentrant, elle a généralement
une serviette. J'ai répondu que cela arrive, qu'elle a
une machine à écrire dans son appartement et qu'elle
apporte assez souvent du travail à faire après sa
journée. Je suppose que vous savez aussi bien que
moi qu'elle est la secrétaire d'un ministre ?

« — Je suis au courant, oui.

« — Il a encore voulu savoir si, la veille, elle
avait sa serviette. J'ai avoué que je n'y ai pas pris
garde. Alors, il a fait semblant de s'en aller. Je suis
montée au premier où je m'occupe tous les matins du
ménage d'une vieille dame. Je l'ai entendu un peu
plus tard qui passait dans l'escalier. Je ne me suis pas
montrée. Je sais néanmoins qu'il s'est arrêté au troisième, où Mlle Blanche habite, et qu'il a pénétré chez
elle.

« — Vous l'avez laissé faire ?

« — Il y a assez longtemps que je suis concierge
pour avoir appris à ne pas me mettre la police à
dos.

« — Il est resté longtemps ?

« — Environ dix minutes.

« — Vous l'avez revu ?

« — Pas celui-là.

« — Vous en avez parlé à votre locataire ? »

Maigret écoutait en regardant son verre avec insistance, essayant de faire cadrer cet incident avec les
événements qu'il connaissait.

Janvier continuait :

— Elle a hésité. Elle a senti qu'elle rougissait et a préféré me dire la vérité.

« — Je lui ai dit que quelqu'un était venu poser des questions sur son compte et était monté à son étage. Je n'ai pas parlé de police.

« — Elle a paru surprise ?

« — Au premier moment, oui. Ensuite elle a murmuré :

« — Je crois que je sais ce que c'est.

« Quant à ceux de ce matin, qui sont arrivés quelques minutes après qu'elle était sortie pour aller à son travail, ils étaient deux. Il m'ont dit aussi qu'ils étaient de la police. Le plus petit a fait un geste pour me montrer sa médaille, mais je ne l'ai pas regardée.

« — Ils sont montés également ?

« — Non. Ils m'ont posé les mêmes questions, et d'autres encore.

« — Lesquelles ?

« — Si elle sort souvent, avec qui, quels sont ses amis, ses amies, si elle donne beaucoup de coups de téléphone, si... »

Maigret interrompit l'inspecteur.

— Qu'est-ce qu'elle t'a dit à son sujet ?

— Elle m'a fourni le nom d'une de ses amies, une certaine Lucile Cristin, qui habite le quartier, qui doit travailler dans un bureau et qui louche. Mlle Blanche prend son repas de midi boulevard Saint-Germain, dans un restaurant qui s'appelle *Aux Trois Ministères*. Le soir, elle prépare ses repas elle-même. Cette Lucile Cristin vient assez souvent manger avec elle. Je n'ai pas pu découvrir son adresse.

« La concierge m'a parlé d'une autre amie, qu'on voit plus rarement rue Vaneau, mais chez qui Mlle

Blanche se rend pour dîner tous les dimanches. Elle est mariée à un mandataire aux Halles nommé Hariel et habite rue de Courcelles. La concierge pense qu'elle est de La Roche-sur-Yon, comme Mlle Blanche. »

— Tu es allé rue de Courcelles ?

— Vous m'avez recommandé de ne rien négliger. Comme je ne sais même pas de quoi il s'agit...

— Continue.

— Le renseignement était exact. Je suis monté à l'appartement de Mme Hariel, qui mène une existence confortable et qui a trois enfants, dont le plus jeune a huit ans. J'ai encore joué l'inspecteur d'assurances. Elle n'a pas bronché. J'en déduis que j'étais le premier à aller la voir. Elle a connu Blanche Lamotte à La Roche, où elles étaient ensemble à l'école. Elles se sont perdues de vue et se sont rencontrées par hasard à Paris, il y a trois ans. Mme Hariel a invité son amie, qui a pris l'habitude de dîner chez eux chaque dimanche. Pour le reste, rien de particulier. Blanche Lamotte a une vie régulière, se donne tout entière à son travail et parle avec chaleur de son patron pour qui elle se jetterait au feu.

— C'est tout ?

— Non. Voilà environ un an, Blanche a demandé à Hariel s'il ne connaissait pas un emploi vacant pour quelqu'un qu'elle connaissait et qui se trouvait dans une passe difficile. Il s'agissait de Fleury. Hariel, qui m'a l'air d'un brave homme, l'a pris dans ses bureaux. Fleury devait s'y rendre chaque jour à six heures du matin.

— Qu'est-il arrivé ?

— Il a travaillé trois jours, après quoi on ne l'a pas revu et il ne s'est jamais excusé. Mlle Blanche

était honteuse. C'est elle qui s'est répandue en ex-
cuses.

« Je suis retourné boulevard Saint-Germain, avec
l'idée d'entrer aux *Trois Ministères*. De loin, j'ai
aperçu, toujours en faction, non seulement Gaston
Rougier, mais un de ses collègues dont j'ai oublié le
nom... »

Maigret s'efforçait de mettre de l'ordre dans tout
ça. Le lundi soir, Auguste Point était allé dans son
appartement du boulevard Pasteur et y avait laissé le
document Calame, l'y croyant plus en sûreté qu'ailleurs.

Or, dès le mardi matin, quelqu'un qui se prétendait
de la police se présentait rue Vaneau, au domicile de
Mlle Blanche, et, après avoir posé à la concierge
quelques questions sans importance, s'introduisait
dans son logement.

Celui-là était-il réellement de la police ?

Si oui, l'affaire sentait encore plus mauvais que le
commissaire ne l'avait craint. Il avait pourtant l'intuition que cette première visite-là n'avait rien à voir
avec la rue des Saussaies.

Etait-ce le même homme qui, ne trouvant rien chez
la secrétaire, s'était dirigé ensuite vers le boulevard
Pasteur et s'était emparé du rapport Calame ?

— Elle ne te l'a pas décrit ?

— Vaguement. Un quidam entre deux âges, assez
corpulent, qui a suffisamment l'habitude de questionner les gens pour qu'elle le prenne pour un policier.

C'était presque la description que le patron du bar
de la rue Jacob avait donnée de l'homme qui avait
accosté Piquemal et avait quitté l'établissement en sa
compagnie.

Quant à ceux du matin même, qui n'étaient pas

montés à l'appartement de la secrétaire, ils avaient
assez l'air d'appartenir à la Sûreté.

— Qu'est-ce que je fais, maintenant ?

— Je n'en sais rien.

— J'oubliais : quand je suis repassé boulevard
Saint-Germain, j'ai eu l'impression d'apercevoir
Lucas dans un bar.

— C'était probablement lui.

— Il est sur la même affaire ?

— Plus ou moins.

— Je continue à m'occuper de la demoiselle ?

— Nous en reparlerons quand j'aurai vu Lucas.
Attends un instant ici.

Maigret se dirigea vers le téléphone, appela la
P.J.

— Lucas est rentré ?

— Pas encore.

— C'est toi, Torrence ? Dès qu'il rentrera, veux-tu
me l'envoyer à la *Brasserie Dauphine* ?

Un gamin passait dans la rue, avec la dernière
édition des journaux de l'après-midi qui portaient un
gros titre, et Maigret se dirigea vers le seuil, cher-
chant de la monnaie dans sa poche.

Quand il vint se rasseoir auprès de Janvier, il étala
le journal devant eux. Le titre, sur toute la largeur de
la page, disait :

Arthur Nicoud en fuite ?

La nouvelle était assez sensationnelle pour avoir
obligé le journal à transformer sa première page.

L'affaire de Clairfond vient de rebondir d'une
façon inattendue, mais à laquelle certains auraient
peut-être dû s'attendre.

On sait que, dès le lendemain de la catastrophe,
l'opinion publique s'est émue et a demandé que

toutes les responsabilités fussent recherchées avec diligence.

L'entreprise Nicoud et Sauvegrain, qui a construit, voilà cinq ans, le désormais trop fameux sanatorium, aurait dû, selon les initiés, faire l'objet d'une enquête aussi sévère qu'immédiate.

Pourquoi n'en a-t-il rien été ? C'est ce qui nous sera sans doute expliqué les prochains jours. Toujours est-il qu'Arthur Nicoud, effrayé de se montrer en public, a cru bon de se mettre à couvert dans un pavillon de chasse qu'il possède en Sologne.

La police, paraît-il, était au courant. Certains assurent même qu'elle aurait conseillé à l'entrepreneur de disparaître momentanément de la circulation afin d'éviter tout incident.

Ce matin seulement, quatre semaines après la catastrophe, on s'est décidé en haut lieu à convoquer Arthur Nicoud afin de lui poser les questions qui sont sur toutes les lèvres.

De bonne heure, deux inspecteurs de la Sûreté se sont présentés au pavillon, où ils n'ont trouvé personne, sinon un garde-chasse.

Celui-ci a appris aux enquêteurs que son maître était parti la veille au soir pour une destination inconnue.

Elle ne l'a pas été longtemps. Il y a deux heures, en effet, notre correspondant particulier de Bruxelles nous téléphonait qu'Arthur Nicoud est arrivé dans cette ville au milieu de la matinée et occupe un luxueux appartement à l'hôtel Métropole.

Notre correspondant est parvenu à rejoindre l'entrepreneur et à lui poser quelques questions que nous reproduisons intégralement ainsi que les réponses.

— Est-il vrai que vous avez quitté brusquement

votre pavillon de Sologne parce que vous avez été averti que la police allait s'y présenter ?

— C'est absolument faux. J'ignorais et j'ignore encore les intentions de la police qui, depuis un mois, sait fort bien où me trouver.

— Avez-vous quitté la France en prévision de nouveaux développements ?

— Je suis venu à Bruxelles parce que des affaires de construction m'y appellent.

— Quelles affaires ?

— La construction d'un aérodrome pour laquelle j'ai soumissionné.

— Avez-vous l'intention de retourner en France et de vous mettre à la disposition des autorités ?

— Je n'ai pas l'intention de changer quoi que ce soit à mes plans.

— Voulez-vous dire que vous resterez à Bruxelles jusqu'à ce que l'affaire de Clairfond soit oubliée ?

— Je répète que je resterai ici aussi longtemps que mes affaires m'y retiendront.

— Même si un mandat d'amener était lancé contre vous ?

— On a eu tout le temps, pendant un mois, de me questionner. Tant pis si on ne l'a pas fait !

— Vous avez entendu parler du rapport Calame ?

— Je ne sais pas de quoi vous parlez.

Sur ces derniers mots, Arthur Nicoud a mis fin à l'entretien, que notre correspondant nous a téléphoné aussitôt.

Il semble, mais nous n'avons pas pu en obtenir confirmation, qu'une jeune femme blonde, élégante, non encore identifiée, soit arrivée une heure après Nicoud et ait été introduite directement dans son appartement où elle se trouverait toujours à l'heure qu'il est.

Rue des Saussaies, on nous a confirmé que deux inspecteurs se sont rendus en Sologne afin de poser certaines questions à l'entrepreneur. Lorsque nous avons parlé de mandat d'amener, on nous a répondu qu'il n'en est pas question pour le moment.

— C'est ça, notre affaire ? grogna Janvier avec une grimace.

— C'est ça.

Il ouvrit la bouche, sans doute pour demander comment il se faisait que Maigret s'occupe d'une affaire politique aussi louche que celle-là. Il ne dit rien. On voyait Lucas traverser la place en traînant un peu la patte gauche selon son habitude. Il ne s'arrêta pas au bar, vint s'asseoir en face des deux hommes, l'air bougon, s'épongea.

Désignant le journal, il prononça d'un ton de reproche qu'il ne prenait jamais en présence de Maigret :

— Je viens de le lire.

Et le commissaire se sentait un peu coupable vis-à-vis de ses deux collaborateurs. Lapointe aussi, maintenant, devait avoir compris de quoi il s'agissait.

— Un demi ? proposa Maigret.

— Non. Un Pernod.

Et cela aussi cadrait mal avec le caractère de Lucas. Ils attendirent que la consommation soit servie, s'entretinrent alors à mi-voix.

— Je suppose que tu t'es heurté partout à des gens de la Grande Maison ?

C'était une façon familière de désigner la Sûreté Générale.

— Vous pouviez bien me conseiller d'être discret ! grommela Lucas. S'il s'agit de les gagner de vitesse,

j'aime mieux vous avertir qu'ils ont quelques lon-
gueurs d'avance sur nous.

— Raconte.

— Quoi ?

— Ce que tu as fait.

— J'ai commencé par me balader boulevard Saint-
Germain, où je suis arrivé quelques minutes après
Janvier.

— Rougier ? questionna celui-ci qui ne put
s'empêcher de sourire du comique de la situation.

— Il était planté au milieu du trottoir et m'a vu
venir. J'ai fait celui qui passe et qui est pressé. Il m'a
interpellé en rigolant :

« — Tu cherches Janvier ? Il vient juste de tourner le coin de la rue de Solférino.

« Cela fait toujours plaisir d'être nargué par quelqu'un de la rue de Saussaies.

« Faute de pouvoir me renseigner sur Jacques
Fleury aux environs du ministère, je... »

— Tu as consulté l'annuaire du téléphone ? questionna Janvier.

— Je n'y ai pas pensé. Sachant qu'il fréquente les
bars des Champs-Elysées, je suis allé au *Fouquet's*.

— Je parie qu'il est à l'annuaire.

— C'est possible. Tu veux me laisser finir ?

Janvier, maintenant, était d'une humeur légère,
narquoise, comme quelqu'un qui vient d'être échaudé
et qui voit un autre se faire échauder à son tour.

Tous les trois, en somme, Maigret aussi bien que
ses deux collaborateurs, se sentaient sur un terrain
qui n'était pas le leur, aussi gauches l'un que l'autre,
et ils imaginaient sans peine les moqueries de leurs
collègues de la Sûreté.

— J'ai bavardé avec le barman. Fleury est connu
comme le loup blanc. La plupart du temps, il a une

ardoise longue comme ça et, quand la somme devient
trop forte, on lui coupe les consommations. Alors, il
disparaît pendant quelques jours, jusqu'à ce qu'il ait
épuisé son crédit dans tous les bars et tous les restaurants.

— Il finit par payer ?

— Un beau soir, on le voit revenir, rayonnant, et
régler sa note d'un air nonchalant.

— Après quoi ça recommence ?

— Oui. Il y a des années que cela dure.

— Depuis qu'il est au ministère aussi ?

— A la différence près que, maintenant qu'il est
chef de cabinet et qu'on lui suppose de l'influence, il
y a davantage de gens pour lui offrir à boire et à
dîner. Il lui est arrivé, avant ça, de disparaître de la
circulation pendant des mois. Une fois, on l'a vu
travailler aux Halles, à compter les choux qu'on
déchargeait des camions.

Janvier regarda Maigret d'un air entendu.

— Il a une femme et deux enfants, quelque part
du côté de Vanves. Il est censé leur envoyer de quoi
vivre. Heureusement que sa femme a un emploi,
quelque chose comme gouvernante chez un vieux
monsieur seul. Les enfants travaillent aussi.

— Avec qui fréquente-t-il les bars ?

— Cela a été longtemps avec une femme d'une
quarantaine d'années, une opulente brune, paraît-il,
que tout le monde appelait Marcelle et dont il paraissait amoureux. Certains prétendent qu'il l'a dénichée
à la caisse d'une brasserie de la Porte Saint-Martin.
On ignore ce qu'elle est devenue. Depuis un peu plus
d'un an, il est avec une certaine Jacqueline Page et
habite avec elle un appartement de la rue Washington, au-dessus d'une épicerie italienne.

« Jacqueline Page a vingt-trois ans et fait parfois

de la figuration dans un film. Elle s'efforce d'être présentée à tous les producteurs, metteurs en scène et acteurs qui fréquentent le *Fouquet's* et se montre aussi gentille avec eux qu'ils le désirent.

— Fleury est amoureux ?

— Il en a l'air.

— Jaloux ?

— On le dit. Seulement, il n'ose pas protester, joue à celui qui ne s'aperçoit de rien.

— Tu l'as vue ?

— J'ai cru bien faire en me rendant rue Washington.

— Qu'est-ce que tu lui as raconté ?

— Je n'ai rien eu besoin de lui raconter. Dès qu'elle m'a ouvert la porte, elle s'est écriée :

« — Encore ! »

Janvier et Maigret ne purent s'empêcher d'échanger un sourire.

— Encore quoi ? questionna Maigret, qui connaissait d'avance la réponse.

— Un policier, vous le savez très bien. Il venait d'en passer deux avant moi.

— Séparément ?

— Ensemble.

— Ils l'ont questionnée sur Fleury ?

— Ils lui ont demandé si celui-ci travaillait parfois le soir et s'il rapportait des documents du ministère.

— Qu'a-t-elle répondu ?

— Qu'ils avaient autre chose à faire le soir. C'est une fille qui n'a pas sa langue dans sa poche. Curieusement, sa mère est chaisière à l'église de Picpus.

— Ils ont fouillé l'appartement ?

— Ils ont juste jeté un coup d'œil dans les pièces.

On ne peut pas parler d'appartement. C'est plutôt un campement. La cuisine sert tout juste à préparer le café du matin. Les autres pièces, un salon, une chambre à coucher et ce qui devrait être la salle à manger, sont en désordre, avec des souliers et du linge de femme par-ci par-là, des magazines, des disques, des romans populaires, sans parler des bouteilles et des verres.

— Jacqueline le voit à déjeuner ?

— Rarement. La plupart du temps, elle reste au lit jusqu'au milieu de l'après-midi. De temps en temps, il lui téléphone dans la matinée pour lui demander d'aller le retrouver dans un restaurant.

— Ils ont beaucoup d'amis ?

— Tous ceux qui fréquentent les mêmes boîtes.

— C'est tout ?

Pour la première fois, il y eut un reproche presque pathétique dans la voix de Lucas quand il répliqua :

— Non, ce n'est pas tout ! Vous m'avez donné pour instructions d'en apprendre le plus possible. D'abord, j'ai une liste d'une dizaine des anciens amants de la Jacqueline, y compris quelques-uns qu'elle voit encore.

L'air dégoûté, il posa un papier, avec des noms au crayon, sur la table.

— Vous constaterez qu'elle comporte les noms de deux hommes politiques. Ensuite, j'ai presque retrouvé la Marcelle.

— Comment ?

— Avec mes jambes. J'ai fait toutes les brasseries des Grands Boulevards, en commençant par l'Opéra. C'était évidemment la dernière la bonne, place de la République.

— Marcelle y a repris son travail à la caisse ?

— Non, mais on se souvient d'elle et on l'a revue dans le quartier. Le propriétaire de la brasserie croit qu'elle habite les environs, du côté de la rue Blondel. Comme il l'a souvent rencontrée rue du Croissant, il a l'impression qu'elle travaille dans un journal ou dans une imprimerie.

— Tu as contrôlé ?

— Pas encore. Je dois le faire ?

Le ton était tel que Maigret murmura, mi-figue, mi-raisin :

— Fâché ?

Lucas s'efforça de sourire.

— Non. Avouez quand même que c'est du drôle de boulot. Surtout pour apprendre ensuite par le journal qu'il s'agit de cette saloperie d'affaire ! S'il faut que je continue, je continuerai. Mais je vous dis franchement...

— Tu crois que cela m'amuse plus que toi ?

— Non. Je sais.

— La rue du Croissant n'est pas tellement longue. Dans ce milieu-là, tout le monde se connaît.

— Et je vais arriver une fois de plus après les gars de la rue des Saussaies.

— C'est probable.

— Bon ! J'irai. Je peux en reprendre un ?

Il montrait son verre, qu'il venait de vider. Maigret fit signe au garçon de renouveler les consommations et, à la dernière minute, commanda, lui aussi, un Pernod au lieu de bière.

Des inspecteurs des autres services, qui avaient fini leur journée, venaient prendre l'apéritif au comptoir et leur adressaient un salut de la main. Maigret, le front rembruni, pensait à Auguste Point, qui devait avoir lu l'article et s'attendait à ce que, d'une minute à l'autre, son nom paraisse en aussi grosses lettres dans les journaux.

Sa femme, qu'il avait sans doute mise au courant, n'était pas plus rassurée que lui. Avait-il parlé à Mlle Blanche ? Se rendaient-ils compte, tous les trois, du travail souterrain qui s'accomplissait autour d'eux ?

— Qu'est-ce que je fais ? questionnait Janvier sur le ton de quelqu'un que la besogne dégoûte mais qui y est résigné.

— Tu as le courage de surveiller la rue Vaneau ?

— Toute la nuit ?

— Non. Vers onze heures, par exemple, j'enverrai Torrence pour te relayer.

— Vous avez dans l'idée qu'il s'y passera quelque chose ?

Maigret avoua :

— Non.

Il n'avait pas la moindre idée. Ou, plutôt, il en avait des tas, tellement enchevêtrées qu'il ne se s'y retrouvait plus.

Il fallait toujours en revenir aux faits les plus simples, ceux qu'on pouvait contrôler.

Il était certain que, le lundi après-midi, le nommé Piquemal s'était présenté au cabinet du ministre des Travaux Publics. Il avait dû s'adresser à l'huissier de service, remplir une fiche. Maigret n'avait pas vu celle-ci, mais elle devait être classée et Point n'aurait pas inventé cette visite.

Deux personnes, au moins, qui se trouvaient dans les bureaux voisins, étaient susceptibles d'avoir entendu la conversation : Mlle Blanche et Jacques Fleury.

La Sûreté y avait pensé aussi, puisqu'elle avait fait enquêter à leur domicile.

Piquemal avait-il réellement remis le rapport Calame à Auguste Point ?

Il paraissait invraisemblable à Maigret que celui-ci eût monté toute cette comédie qui, d'ailleurs, n'aurait pas eu de sens.

Point s'était rendu à son domicile particulier, boulevard Pasteur. Il y avait laissé le document dans son bureau. Cela aussi, le commissaire le croyait.

Donc, la personne qui, le lendemain matin, s'était présentée chez Mlle Blanche et avait fouillé son logement, n'était pas sûre de l'endroit où le rapport se trouvait.

Et, l'après-midi, le document avait disparu.

Le mercredi matin, Piquemal disparaissait à son tour.

En même temps, pour la première fois, le journal de Joseph Mascoulin parlait du rapport Calame et demandait ouvertement qui tenait le document sous le boisseau.

Maigret se mit à remuer les lèvres, parlant bas, comme pour lui-même.

— De deux choses l'une : ou bien on a volé le rapport pour le détruire, ou bien on l'a volé pour s'en servir. Jusqu'ici, il semble que personne ne s'en soit encore servi.

Lucas et Janvier écoutaient sans intervenir.

— A moins...

Il but lentement la moitié de son verre, s'essuya les lèvres.

— Cela paraît compliqué mais, en politique, les choses sont rarement simples. Seules, une ou des personnes compromises dans l'affaire de Clairfond ont intérêt à détruire le document. Si donc on apprend que celui-ci a disparu après être revenu pendant quelques heures à la surface, les soupçons se porteront automatiquement sur elles.

— Je crois que je comprends, murmura Janvier.

— Une trentaine d'hommes politiques au moins, sans compter Nicoud lui-même, risquent le scandale et pis dans cette affaire. Qu'on parvienne à reporter les soupçons sur un seul individu, qu'on crée des preuves contre lui, que cet individu soit vulnérable, et on obtient le bouc émissaire idéal. Auguste Point est sans défense.

Ses deux collaborateurs le regardèrent, étonnés. Maigret avait oublié qu'ils n'étaient au courant que d'une partie de l'affaire. On avait maintenant dépassé le stade où il était possible d'avoir des secrets pour eux.

— Il est sur la liste des invités de Nicoud à Samois, dit-il. Sa fille a reçu un stylo en or de l'entrepreneur.

— Vous l'avez vu ?

Il fit oui de la tête.

— C'est lui qui... ?

Lucas n'acheva pas sa question. Maigret avait compris. L'inspecteur avait voulu demander :

— C'est lui qui vous a demandé de l'aider ?

Cela dissipait enfin la gêne qui avait pesé sur les trois hommes.

— C'est lui, oui. A l'heure qu'il est, je serais surpris que d'autres ne le sachent pas.

— On n'a plus besoin de se cacher ?

— En tout cas pas de la Sûreté.

Ils traînèrent encore un quart d'heure devant leurs verres. Maigret se leva le premier, leur souhaita le bonsoir et passa à tout hasard par son bureau. Il n'y avait rien pour lui. Point n'avait pas téléphoné, ni aucune personne mêlée à l'affaire de Clairfond.

Au dîner, Mme Maigret comprit à sa mine qu'il valait mieux ne pas le questionner. Il passa la soirée à lire une revue de police internationale et, à dix heures, se mettait au lit.

— Tu as beaucoup de travail ?

Ils étaient près de s'endormir. Elle avait gardé longtemps la question sur le bout de la langue.

— Pas beaucoup, mais du vilain.

Deux fois, il faillit tendre la main vers le téléphone et appeler Auguste Point. Ce qu'il lui aurait dit, il n'en savait rien, mais il aurait aimé prendre contact avec lui.

Il se leva à huit heures. Derrière les rideaux, on voyait une légère brume qui collait aux vitres et semblait feutrer les bruits de la rue. Il se dirigea à pied vers le coin du boulevard Richard-Lenoir pour prendre son autobus et s'arrêta devant le marchand de journaux.

La bombe avait éclaté. Les journaux ne posaient plus de questions, annonçaient en manchette :

L'affaire de Clairfond.
Disparition de Jules Piquemal
qui avait retrouvé le rapport Calame.
Le rapport, remis en haut lieu, aurait disparu
aussi.

Les journaux sous le bras, il monta sur la plateforme de l'autobus et n'essaya pas d'en lire davantage avant d'arriver au quai des Orfèvres.

Comme il traversait le couloir, il entendit le téléphone sonner dans son bureau, hâta le pas, décrocha.

— Commissaire Maigret ? demandait le standar-diste. C'est la troisième fois en un quart d'heure qu'on vous appelle du ministère des Travaux Publics. Je vous passe la communication ?

Il avait encore son chapeau sur la tête, son pardes-sus sur le dos, légèrement humide de brouillard.

5

LES SCRUPULES DU PROFESSEUR

La voix était d'un homme qui n'a pas dormi de la nuit, qui n'a guère dormi les nuits précédentes et qui ne se donne plus la peine de choisir ses mots parce qu'il a dépassé le stade où l'on se préoccupe de l'effet que l'on produit. Ce timbre neutre, sans accent, sans énergie, constitue un peu, chez l'homme, le même signe que, chez la femme, de pleurer d'une certaine façon, qui n'est pas pathétique, qui la rend laide sans qu'elle s'en soucie, la bouche grande ouverte.

— Vous pouvez venir me voir tout de suite, Maigret ? Au point où en sont les choses, à moins que cela vous gêne personnellement, il n'y a aucune raison pour éviter le boulevard Saint-Germain. Je vous préviens qu'il y a plein de journalistes dans l'antichambre et le téléphone ne cesse de sonner. Je leur ai promis une conférence de presse à onze heures.

Maigret regarda sa montre.

— Je viens immédiatement.

On frappait à la porte. Le jeune Lapointe entra qu'il avait encore le récepteur à la main, le front plissé.

— Tu as quelque chose à me dire ?

— Du nouveau, oui.

— Important ?

— Je crois.

— Mets ton chapeau et viens avec moi. Tu me parleras en route.

Il s'arrêta un instant devant l'huissier pour lui demander de prévenir le chef qu'il n'assisterait pas au rapport. Dans la cour, il s'approcha d'une des petites autos noires de la P.J.

— Prends le volant.

Et, quand on roula sur le quai :

— Raconte vite.

— J'ai passé la nuit à l'*Hôtel du Berry*, dans la chambre que j'ai louée.

— Piquemal n'a pas reparu ?

— Non. Toute la nuit, quelqu'un de la Sûreté est resté en faction dans la rue.

Maigret s'en doutait. Ce n'était pas inquiétant.

— Je n'ai pas voulu entrer dans la chambre de Piquemal tant qu'il faisait nuit, car j'aurais dû allumer et on aurait vu la lumière de la rue. J'ai attendu le petit jour et alors je me suis livré à un examen des lieux plus minutieux que le premier. J'ai pris, entre autres, les livres un à un et les ai feuilletés. Dans un traité d'économie politique, j'ai trouvé cette lettre-ci, qui y a été glissée comme pour servir de signet.

Conduisant d'une main, il sortit de l'autre son portefeuille de sa poche et le tendit à Maigret.

— Dans la pochette de gauche. La lettre qui porte l'en-tête de la Chambre des Députés.

C'était une feuille de petit format, comme celles dont les membres de la Chambre se servent pour de courts billets. La lettre portait la date du jeudi précédent. L'écriture était petite, négligée, avec des caractères qui se chevauchaient et des fins de mots presque illisibles.

« Cher Monsieur,

*« Je vous remercie de votre communication. Je
suis fort intéressé par ce que vous me dites et je vous
verrai volontiers demain, vers huit heures du soir, à
la* Brasserie du Croissant, *rue Montmartre. D'ici là,
je vous demande de ne parler à personne de la
question qui vous occupe.*

« Vôtre. »

Il n'y avait pas de signature à proprement parler
mais un paraphe dont les lettres auraient pu être
n'importe quelles lettres de l'alphabet.

— Je suppose que c'est de Joseph Mascoulin ?
grommela le commissaire.

— C'est de lui, oui. Je suis passé de bonne heure
chez un camarade qui est sténographe à la Chambre
et connaît l'écriture de la plupart des députés. Je n'ai
eu besoin de lui montrer que la première ligne et le
paraphe.

Ils étaient déjà boulevard Saint-Germain et, devant
le ministère des Travaux Publics, Maigret apercevait
plusieurs autos de la presse. Il jeta un coup d'œil au
trottoir d'en face, ne vit personne de la rue des
Saussaies. Est-ce que, maintenant que la bombe avait
éclaté, on avait cessé la surveillance ?

— Je vous attends ?

— Cela vaut peut-être mieux.

Il traversa la cour, monta le grand escalier, se
trouva dans une antichambre au tapis rouge sombre
et aux colonnes jaunâtres où il reconnut plusieurs
visages. Deux ou trois journalistes firent mine de se
diriger vers lui, mais un huissier les avait devancés.

— Par ici, monsieur le commissaire. Monsieur le
ministre vous attend.

Dans l'immense bureau sombre, où des lampes

étaient allumées. Auguste Point, debout, lui parut
plus court, plus massif que dans l'appartement du
boulevard Pasteur. Il tendit la main à Maigret, la tint
un instant dans la sienne, avec cette insistance de
ceux qui viennent de subir un grand choc et qui sont
reconnaissants de la moindre preuve de sympathie.

— Je vous remercie d'être venu, Maigret. Je me
reproche à présent de vous avoir mêlé à tout cela.
Vous voyez que ce n'est pas à tort que je m'inquié-
tais !

Il se tourna vers une femme qui terminait une
conversation téléphonique et raccrochait le récepteur.

— Je vous présente ma secrétaire, Mlle Blanche,
de qui je vous ai parlé.

Celle-ci fixait sur Maigret un regard méfiant. On la
sentait sur la défensive. Elle ne tendit pas la main, fit
un petit salut.

Son visage était quelconque, sans attrait, mais,
sous sa robe noire très simple, relevée seulement au
col d'une étroite dentelle blanche, Maigret était surpris de deviner un corps resté jeune, potelé, encore
fort désirable.

— Si cela ne vous ennuie pas, nous irons dans
mon appartement. Je n'ai jamais pu m'habituer à ce
bureau, où je me sens toujours mal à l'aise. Vous
prenez les communications, Blanche ?

— Oui, monsieur le ministre.

Point ouvrit une porte, au fond, murmura, toujours
de la même voix neutre :

— Je passe devant vous ? Le chemin est assez
compliqué.

Lui-même ne s'y était pas encore familiarisé et
paraissait étranger dans les couloirs déserts où il lui
arrivait d'hésiter devant une porte.

Ils trouvèrent un escalier plus étroit, traversèrent, en haut, deux vastes pièces vides. La vue d'une bonne en tablier blanc qui passait, un balai à la main, indiqua qu'ils avaient quitté la partie officielle des bâtiments et étaient arrivés dans les appartements privés.

— Je voulais vous présenter Fleury. Il était dans le bureau voisin. Au dernier moment, cela m'est sorti de la tête.

On entendit une voix de femme. Point poussa une dernière porte et ils se trouvèrent dans un salon plus petit que les autres où une femme était assise près de la fenêtre et où une jeune fille se tenait debout près d'elle.

— Ma femme et ma fille. J'ai jugé préférable que nous parlions devant elles.

Mme Point aurait pu être n'importe quelle petite bourgeoise d'âge mûr que l'on rencontre dans la rue à faire son marché. Elle avait les traits tirés, elle aussi, les yeux un peu vides.

— Il faut d'abord que je vous remercie, monsieur le commissaire. Mon mari m'a tout raconté et je sais le bien que l'entrevue qu'il a eue avec vous lui a fait.

Les journaux étaient épars sur une table, avec leurs titres sensationnels.

Maigret, au début, ne prêta guère attention à la jeune fille qui lui parut plus calme, plus maîtresse d'elle-même que son père et sa mère.

— Vous ne voulez pas une tasse de café ?

Cela lui rappelait un peu une maison mortuaire où le train-train quotidien est soudain bouleversé, où les gens vont et viennent, parlent et s'agitent sans savoir où se mettre et que faire.

Il avait toujours son pardessus sur le dos. Ce fut

Anne-Marie qui l'invita à le retirer et qui le plaça sur
le dossier d'un fauteuil.

— Vous avez lu les journaux de ce matin ?
demanda enfin le ministre, sans s'asseoir.

— Je n'ai eu le temps que d'en voir les titres.

— Ils ne citent pas encore mon nom, mais tout le
monde sait, dans la presse. Ils ont dû avoir l'informa-
tion vers le milieu de la nuit. J'ai été averti par un
homme que je connais, qui est metteur en pages rue
du Croissant. J'ai téléphoné aussitôt au président.

— Quelle a été sa réaction ?

— Je ne sais pas s'il a été surpris ou non. Je ne
me sens plus capable de juger les gens. Evidemment,
je le tirais de son sommeil. Il m'a paru manifester
une certaine surprise, mais je l'ai trouvé, au bout du
fil, moins ému que je m'y attendais.

On aurait toujours dit qu'il parlait du bout des
lèvres, sans conviction, comme si les mots n'avaient
plus d'importance.

— Asseyez-vous, Maigret. Je vous demande pardon de rester debout mais, depuis ce matin, je ne
parviens pas à m'asseoir. Cela me donne une sensation d'angoisse. Il faut que je sois debout, que je
marche. Quand vous êtes arrivé, il y avait une heure
que j'arpentais mon bureau tandis que ma secrétaire
répondait au téléphone. Où en étais-je ? Oui. Le
Président m'a dit quelque chose comme :

« — Eh bien, mon cher, il faudra faire face à la
musique ! »

« Je crois que ce sont ses propres paroles. Je lui ai
demandé si c'étaient ses services qui détenaient
Piquemal. Au lieu de répondre directement, il a murmuré :

« — Qu'est-ce qui vous fait penser ça ? »

« Puis il m'a expliqué que, pas plus que moi ni

que n'importe quel ministre, il ne pouvait jurer de ce
qui se passait dans ses services. Il a fait toute une
digression sur ce sujet.

« — On nous rend responsables de tout, disait-
il, sans comprendre que nous ne sommes que des
passants, que ceux à qui nous donnons des ordres le
savent, qu'ils ont eu un autre maître la veille et qu'ils
en auront peut-être un autre le lendemain. »

« J'ai suggéré :

« — Le mieux que j'aie à faire est sans doute de
vous présenter ma démission dès demain matin.

« — Vous allez trop vite, Point. Vous me prenez
au dépourvu. En politique, les choses se passent
rarement comme on l'a prévu. Je vais penser à votre
proposition et je vous rappellerai tout à l'heure.

« Je suppose qu'il a donné des coups de téléphone
à certains de nos collègues. Peut-être ont-ils eu une
réunion ? Je ne sais pas. Maintenant, ils n'ont aucune
raison de me mettre au courant.

« J'ai passé le reste de la nuit à marcher dans ma
chambre de long en large tandis que ma femme
essayait de me raisonner. »

Celle-ci regarda Maigret avec l'air de dire :

— Aidez-moi ! Vous voyez où il en est !

C'était vrai. Le soir du boulevard Pasteur, Point
était apparu à Maigret comme un homme qui chan-
celle sous le coup qu'on vient de lui porter, qui
ignore encore comment il y fera tête, mais qui n'a pas
abandonné la partie.

A présent, il parlait comme si les événements ne le
regardaient plus, comme si, son sort étant décidé une
fois pour toutes, il avait renoncé à lutter.

— Il vous a rappelé ? demanda Maigret.

— Vers cinq heures et demie. Comme vous voyez,
nous avons été quelques-uns à ne pas dormir, la nuit

dernière. Il m'a déclaré que ma démission n'arrange-
rait rien, qu'elle serait considérée comme un aveu de
culpabilité et que tout ce que j'avais à faire était de
dire la vérité.

— Y compris sur le contenu du rapport Calame ?
questionna le commissaire.

Point parvint à sourire.

— Non. Pas exactement. Au moment où je croyais
la conversation terminée, il a ajouté :

« Je suppose qu'on vous demandera si vous avez
lu le rapport. »

« J'ai répondu :

« Je l'ai lu.

« C'est ce que j'ai cru comprendre. C'est un rapport assez volumineux, bourré, je suppose, de détails
techniques sur un sujet qui n'est pas nécessairement
familier à un homme de loi. Il serait plus exact de
prétendre que vous l'avez parcouru. Vous n'avez plus
le rapport sous la main pour vous rafraîchir la
mémoire. Ce que je vous en dis, cher ami, c'est pour
vous éviter des ennuis plus graves que ceux qui vous
attendent. Parlez du contenu du rapport, mettez des
gens en cause, qui que ce soit — cela ne me regarde
pas et je n'en ai cure — et on vous accusera de
lancer des accusations que vous n'êtes pas en mesure
de soutenir. Vous me comprenez ? »

Pour la troisième fois au moins depuis le début de
l'entretien, Point ralluma sa pipe et sa femme se
tourna vers Maigret.

— Vous pouvez fumer aussi. J'ai l'habitude.

— Dès sept heures du matin, le téléphone s'est mis
à sonner. Ce sont surtout des journalistes qui veulent
me poser des questions. Au début, j'ai répondu que je
n'avais aucune déclaration à faire. Puis j'ai senti que
le ton devenait presque menaçant, deux directeurs de

journaux m'ont appelé personnellement au bout du
fil. J'ai fini par donner rendez-vous à tout le monde,
dans mon cabinet, ce matin, à onze heures, pour une
conférence de presse.

« J'avais besoin de vous voir auparavant. Je suppose... »

Il avait eu le courage, peut-être par pudeur, peut-
être par crainte ou par superstition, de retarder sa
question jusqu'alors.

— Je suppose que vous n'avez rien découvert ?

Maigret le fit-il exprès, pour donner plus d'importance à son geste et ainsi insuffler une certaine
confiance au ministre, de tirer la lettre de sa poche et
de la lui tendre sans un mot ? Cela avait quelque
chose d'un peu théâtral qui n'était pas dans ses habi-
tudes.

Mme Point ne bougea pas du canapé où elle s'était
assise, mais Anne-Marie se dirigea vers son père et
lut par-dessus son épaule.

— De qui est-ce ? questionna-t-elle.

Maigret, lui, demandait à Point :

— Vous reconnaissez l'écriture ?

— Elle me rappelle quelque chose, sans pourtant
m'être familière.

— Cette lettre a été envoyée jeudi dernier par
Joseph Mascoulin.

— A qui ?

— A Julien Piquemal.

Il y eut un silence. Point, sans un mot, tendit le
billet à sa femme. Chacun essayait apparemment de
mesurer l'importance de cette découverte.

Quand Maigret prit la parole, ce fut, comme boulevard Pasteur, pour une sorte d'interrogatoire.

— Quels sont vos rapports avec Mascoulin ?

— Je n'en ai pas.

— Vous vous êtes disputés ?

— Non.

Point était grave, soucieux. S'il ne se mêlait jamais de politique, Maigret n'était pas sans connaître quelque peu les mœurs parlementaires. D'une façon générale, les députés, même appartenant à des partis opposés, même si, à la tribune, ils s'attaquent férocement, entretiennent des relations cordiales qui rappellent, par leur familiarité, les relations d'école ou de caserne.

— Vous ne lui parlez pas ? insista Maigret.

Point se passa la main sur le front.

— Cela remonte à plusieurs années, à mes débuts à la Chambre. Une Chambre toute neuve, vous vous en souvenez sans doute, où on s'était juré qu'il n'y aurait plus de tripoteurs.

C'était immédiatement après la guerre et le pays était soulevé par une vague d'idéalisme. On avait soif de propreté.

— La plupart de mes collègues, en tout cas une proportion importante de ceux-ci, étaient, comme moi, nouveaux à la politique.

— Pas Mascoulin.

— Non. Il en restait un certain nombre des anciennes Chambres, mais chacun était persuadé que les nouveaux venus créeraient l'atmosphère. Après quelques mois, je n'avais plus tout à fait autant de confiance. Après deux ans, j'étais découragé. Tu t'en souviens, Henriette ?

Il s'était tourné vers sa femme.

— Au point, dit celle-ci, qu'il avait décidé de ne pas se représenter.

— Au cours d'un dîner où je devais prendre la parole, j'ai exprimé ce que j'avais sur le cœur et la presse était là pour prendre note de mes paroles. Cela

m'étonnerait qu'on ne me serve pas, ces jours-ci, une
partie de mon discours. Le thème en était en quelque
sorte les mains sales. J'expliquai, en substance, que
ce n'est pas notre régime politique qui est défectueux,
mais l'ambiance dans laquelle, bon gré mal gré,
vivent les politiciens.

« Je n'ai pas besoin de m'étendre là-dessus. Vous
vous souvenez du titre fameux : *La République des
Camarades*. On se rencontre chaque jour. On se serre
la main comme de vieux amis. Après quelques
semaines de session, tout le monde se tutoie et on se
rend mutuellement de menus services.

« Chaque jour, on serre un plus grand nombre de
mains et, si celles-ci ne sont pas très propres, on
hausse les épaules avec indulgence.

« Bah ! Ce n'est pas un mauvais bougre. »

« Ou bien :

« Il est obligé de faire ça pour ses électeurs. »

« Vous me comprenez ? J'ai déclaré que, si chacun
d'entre nous se refusait, une fois pour toutes, à serrer
des mains sales, des mains de tripoteurs, l'atmosphère
politique serait du même coup purifiée. »

Il ajouta après un temps, avec amertume :

— J'ai fait ce que je prêchais. J'ai évité certains
journalistes et hommes d'affaires marrons qui hantent
les couloirs du Palais-Bourbon. J'ai refusé, à des
électeurs influents, des services que je ne croyais pas
devoir leur rendre.

« Et, un jour que, dans la Salle des Pas Perdus,
Mascoulin venait vers moi la main tendue, j'ai feint
de ne pas le voir et me suis tourné ostensiblement
vers un autre de mes collègues.

« Je sais qu'il a pâli et ne me l'a jamais pardonné.
C'est le genre d'hommes qui ne pardonnent pas. »

— Vous avez agi de même avec Hector Tabard, le directeur de *la Rumeur* ?

— J'ai refusé deux ou trois fois de le recevoir et il n'a pas insisté.

Il regarda sa montre.

— Il me reste une heure, Maigret. A onze heures, il me faudra faire face aux journalistes et répondre à leurs questions. J'avais pensé à leur remettre un communiqué mais cela ne les contenterait pas.

« Je dois leur dire que Piquemal est venu m'apporter le rapport Calame, que je me suis rendu dans mon appartement du boulevard Pasteur pour le lire. »

— Et que vous ne l'avez pas lu !

— J'essayerai d'être moins catégorique. Le plus dur, l'impossible, sera de leur faire admettre que j'ai laissé ce fameux rapport dans un appartement sans surveillance et que quand, le lendemain, j'ai voulu le reprendre pour le remettre au président du Conseil, il avait disparu.

« Personne ne me croira. La disparition de Piquemal ne simplifie rien, au contraire. On prétendra que, par un moyen ou un autre, j'ai écarté un témoin gênant.

« La seule chose qui m'aurait sauvé aurait été de leur livrer le voleur du document. »

Il ajouta avec l'air de s'excuser de son dépit :

— Je ne pouvais pas m'y attendre en quarante-huit heures, même de vous. Qu'est-ce que vous pensez que je doive faire ?

Mme Point intervint, catégorique.

— Donner ta démission et nous en retourner à La Roche-sur-Yon. Les gens qui te connaissent sauront que tu n'es pas coupable. Quant aux autres, tu n'as pas à t'en préoccuper. Tu as ta conscience pour toi, non ?

Le regard de Maigret se posa sur le visage d'Anne-Marie et il vit celle-ci pincer les lèvres. Il comprenait que la jeune fille ne pouvait pas être de l'avis de sa mère et que, pour elle, une telle retraite de la part de son père signifierait sans doute la perte de ses espoirs.

— Quel est votre avis ? murmurait Point, vacillant.

C'était une responsabilité que le commissaire ne pouvait pas prendre.

— Et le vôtre ?

— J'ai l'impression que je dois tenir bon. En tout cas, s'il reste le moindre espoir de découvrir le voleur.

C'était encore une question indirecte.

— J'ai toujours de l'espoir, jusqu'à la dernière minute, grommela Maigret, sinon je ne commencerais jamais une enquête. Faute d'être familier avec la politique, j'ai perdu du temps en démarches qui peuvent paraître inutiles. Je ne suis pas sûr qu'elles soient si inutiles que ça.

Il devait, avant que Point comparaisse devant les journalistes, lui rendre, sinon confiance, tout au moins une certaine assurance. Pour cela, Maigret se mit à tracer un tableau plus dépouillé de la situation.

— Voyez-vous, monsieur le ministre, nous sommes arrivés sur un terrain où je me sens plus à mon aise. Jusqu'ici, je devais travailler, en principe, sans que personne s'en doute, ce qui n'a pas empêché que, tout le long du chemin, nous nous heurtions aux gens de la rue des Saussaies. Que ce soit à la porte de votre ministère, à celle de votre secrétaire, chez

Piquemal ou devant le domicile de votre chef de cabinet, mes hommes trouvaient invariablement des hommes de la Sûreté en faction.

« Je me suis demandé un moment ce qu'ils cherchaient et si les deux services ne faisaient pas une enquête parallèle.

« Je pense maintenant qu'ils voulaient simplement savoir ce que nous découvririons. Ce n'était ni vous, ni votre secrétaire, ni Piquemal, ni Fleury qui étaient sous surveillance, mais moi et mes hommes.

« Dès le moment où la disparition de Piquemal et celle du document deviennent officielles, leur recherche rentre dans les attributions de la P.J., puisque cela a eu lieu sur le territoire de Paris.

« Un homme ne disparaît pas sans laisser de traces.

« Et un cambrioleur finit invariablement par se laisser prendre. »

— Tôt ou tard ! murmura Point avec un triste sourire.

Et Maigret, en se levant et en le regardant dans les yeux :

— A vous de tenir jusque-là.

— Cela ne dépend pas seulement de moi.

— Cela dépend surtout de vous.

— Si c'est Mascoulin qui est derrière cette machination, il ne tardera pas à interpeller le gouvernement.

— A moins qu'il préfère profiter de ce qu'il sait pour augmenter son influence.

Point l'observa avec surprise.

— Vous êtes au courant ? Je croyais que vous ne vous occupiez pas de politique.

— Cela ne se passe pas seulement en politique et il y a des Mascoulin dans d'autres milieux. Je crois

— arrêtez-moi si je me trompe — qu'il n'a qu'une passion, celle du pouvoir, mais que c'est un animal à sang froid qui sait attendre son heure. De temps en temps, il déclenche un tonnerre à la Chambre et dans la presse en révélant des abus ou quelque scandale.

Point écoutait avec un nouvel intérêt.

— Il s'est fait ainsi, petit à petit, la réputation d'un impitoyable redresseur de torts. De sorte que tous les illuminés, tous les aigris, tous les révoltés dans le genre de Piquemal s'adressent à lui quand ils découvrent ou croient découvrir quelque chose de malpropre.

« Je suppose qu'il reçoit le même genre de courrier que nous recevons quand un crime mystérieux est commis. Des fous, des détraqués, des maniaques nous écrivent, et aussi des gens qui voient l'occasion d'assouvir leur haine contre un parent, un ancien ami ou un voisin. Dans le lot, il y a cependant des lettres qui nous apportent de réelles indications et sans lesquelles bon nombre d'assassins seraient encore à courir les rues.

« Piquemal-le-Solitaire, qui a cherché la vérité dans tous les partis extrémistes, dans toutes les religions, dans toutes les philosophies, est exactement le genre d'homme qui, découvrant le rapport Calame, n'a pas eu un instant l'idée de le transmettre à ses chefs directs, dont il se méfie.

« Il s'est tourné vers le redresseur de torts professionnel, persuadé qu'ainsi le rapport échapperait à Dieu sait quelle conjuration du silence. »

— Si Mascoulin a le rapport entre les mains, pourquoi ne s'en est-il pas encore servi ?

— Pour la raison que je vous ai donnée. Il a besoin, périodiquement, de déclencher un scandale afin d'entretenir sa réputation. Mais les journaux de

chantage comme *la Rumeur* ne publient pas non plus
tous les renseignements qu'ils possèdent. Les affaires
dont ils ne parlent pas sont, au contraire, celles qui
leur rapportent.

« Le rapport Calame est un trop gros morceau
pour le jeter en pâture au public.

« Si Mascoulin le possède, combien de personnages en place croyez-vous qu'il tienne à sa merci, y
compris Arthur Nicoud ? »

— Beaucoup. Plusieurs dizaines.

— Nous ignorons combien de rapports Calame il a
entre les mains, dont il peut se servir à tout moment
et qui lui permettront, le jour où il se sentira assez
fort, d'arriver à ses fins.

— J'y avais pensé, avoua Point. Et c'est bien ce
qui m'effraie ! Si c'est lui qui détient le rapport, celui-
ci se trouve en lieu sûr et je serais surpris que nous le
retrouvions. Or, si nous ne le produisons pas, ou si
nous n'avons pas la preuve formelle que telle personne l'a détruit, je suis déshonoré, puisque c'est
moi qu'on accusera de l'avoir fait disparaître.

Maigret vit Mme Point détourner la tête parce
qu'une larme coulait sur sa joue. Point la vit aussi,
perdit un instant contenance pendant qu'Anne-Marie
disait :

— Maman !

Mme Point secoua la tête comme pour dire que ce
n'était rien et sortit rapidement de la pièce.

— Vous voyez ! dit son mari, comme si cela
n'avait pas besoin de commentaire.

Maigret eut-il tort ? Se laissait-il impressionner par
l'atmosphère dramatique qui l'entourait ? Il déclara,
comme sûr de lui :

— Je ne vous promets pas de retrouver le rapport,
mais je mettrai la main sur celui ou celle qui s'est

introduit dans votre appartement pour s'en emparer.
Cela, c'est mon métier.

— Vous croyez ?

— J'en suis sûr.

Il s'était levé. Point murmura :

— Je descends avec vous.

Et, à sa fille :

— Cours répéter à ta mère ce que le commissaire
vient de me dire. Cela lui fera du bien.

Ils refirent en sens inverse le chemin qu'ils avaient
parcouru dans les coulisses du ministère et se retrou-
vèrent dans le cabinet de Point où, outre Mlle Blanche, qui répondait au téléphone, un personnage
grand et mince, aux cheveux gris, dépouillait du
courrier.

— Je vous présente Jacques Fleury, mon chef de
cabinet... Le commissaire Maigret...

Celui-ci eut l'impression d'avoir déjà vu l'homme
quelque part, sans doute dans un bar ou dans un
restaurant. Il portait beau, était vêtu avec une élé-
gance qui faisait ressortir le laisser-aller du ministre.
C'était le type même que l'on rencontre dans les bars
des Champs-Elysées en compagnie de jolies
femmes.

Sa main était sèche, sa poignée de main franche.
De loin, il paraissait plus jeune, plus énergique que
de près, car on découvrait les poches de fatigue sous
les yeux, une sorte d'affaissement des lèvres qu'il
cachait en souriant nerveusement.

— Combien sont-ils ? lui demanda Point en désignant l'antichambre.

— Une bonne trentaine. Les correspondants des
journaux étrangers sont là aussi. J'ignore combien il
y a de photographes. Il en arrive toujours.

Maigret et le ministre échangèrent un regard. Mai-

gret semblait dire, avec un clin d'œil encoura-
geant :

« Tenez bon ! »

Point lui demanda :

— Vous sortez par l'antichambre ?

— Puisque vous allez leur annoncer que je
m'occupe de l'enquête, cela n'a plus d'importance.
Au contraire.

Il sentait sur lui le regard toujours méfiant de
Mlle Blanche qu'il n'avait pas eu le temps d'apprivoi-
ser. Elle semblait encore hésiter sur l'opinion qu'elle
devait se faire de lui. Peut-être, cependant, le calme
de son patron lui donnait-il à penser que l'interven-
tion de Maigret était plutôt une bonne chose.

Quand le commissaire traversa l'antichambre, les
photographes, les premiers, se précipitèrent, et il ne
fit rien pour leur échapper. Les reporters, à leur tour,
l'assaillaient de questions.

— Vous vous occupez du rapport Calame ?

Il les écartait en souriant :

— Dans quelques minutes, le ministre répondra
lui-même à vos questions.

— Vous ne niez pas que vous vous en occupez ?

— Je ne nie rien.

Certains le suivirent dans l'escalier de marbre,
espérant lui arracher une déclaration.

— Interrogez le ministre, leur répétait-il.

L'un d'eux demanda :

— Vous croyez que Piquemal a été assassiné ?

C'était la première fois que cette hypothèse était
formulée clairement.

— Vous connaissez ma réponse favorite, répondit-
il : *je ne crois rien.*

Quelques instants plus tard, après encore quelques
déclics, il pénétrait dans l'auto de la P.J. où

Lapointe, sur le siège, avait employé son temps à lire les journaux.

— Où allons-nous ? Au Quai ?

— Non. Boulevard Pasteur. Qu'est-ce que les journaux racontent ?

— Ils parlent surtout de la disparition de Piquemal. L'un d'eux, je ne sais plus lequel, est allé interviewer Mme Calame, qui habite toujours l'appartement où elle vivait avec son mari, boulevard Raspail. Il paraît que c'est une petite femme à l'air énergique qui ne mâche pas ses mots et qui n'a pas essayé d'éluder les questions.

« Elle n'a pas lu le rapport mais se souvient fort bien que son mari, il y a cinq ans environ, est allé passer plusieurs semaines en Haute-Savoie. A son retour, il a eu une période de grande activité et il lui est souvent arrivé de travailler tard dans la nuit.

« Il n'a jamais reçu tant de coups de téléphone, a-t-elle dit. Des tas de gens sont venus le voir, que nous ne connaissions ni d'Eve ni d'Adam. Il était préoccupé, inquiet. Quand je lui demandais ce qui le tracassait, il me répondait que c'était son travail et ses responsabilités. Il m'a parlé souvent de responsabilités à cette époque. J'avais l'impression que quelque chose le minait. Je le savais malade. Depuis plus d'un an, le docteur m'avait annoncé qu'il souffrait d'un cancer. Je me souviens qu'un jour il a soupiré :

« Mon Dieu ! qu'il est difficile à un homme de savoir où est son devoir ! »

Ils suivaient la rue de Vaugirard, où un autobus les obligeait à rouler lentement.

— Il y en a une colonne entière, ajoutait Lapointe.

— Qu'est-ce qu'elle a fait des papiers de son mari ?

— Elle a tout laissé en place dans son bureau, qu'elle nettoie régulièrement comme quand il était là.

— Elle n'a pas reçu de visites, ces derniers temps ?

— Deux, répondit Lapointe avec un regard d'admiration à son chef.

— Piquemal ?

— Oui. C'est la première visite, il y a environ une semaine.

— Elle le connaissait ?

— Assez bien. Du vivant de Calame, il venait souvent demander des conseils à celui-ci. Elle croit qu'il s'occupait de mathématiques. Il a expliqué qu'il voulait retrouver un de ses travaux qu'il avait confié jadis au professeur.

— Il l'a retrouvé ?

— Il avait une serviette avec lui. Elle l'a laissé dans le bureau, où il est resté environ une heure. Quand il est sorti, elle lui a posé la question et il lui a répondu que non, que malheureusement ses papiers devaient avoir été égarés. Elle n'a pas regardé dans sa serviette. Elle ne se méfiait pas. Ce n'est que le surlendemain...

— Qui lui a rendu la seconde visite ?

— Un homme d'une quarantaine d'années, qui a prétendu être un ancien élève de Calame et lui a demandé si elle avait gardé les dossiers de celui-ci. Il a parlé, lui aussi, de travaux auxquels ils s'étaient livrés en commun.

— Elle l'a laissé pénétrer dans le bureau ?

— Non. Elle a trouvé la coïncidence au moins

bizarre et a répondu que tous les papiers de son mari étaient restés à l'Ecole des Ponts et Chaussées.

— Elle a décrit son second visiteur ?

— Le journal n'en parle pas. Si elle l'a fait, le reporter garde le renseignement pour lui et est probablement en train de poursuivre sa petite enquête.

— Range-toi le long du trottoir. C'est ici.

De jour, le boulevard était aussi paisible que la nuit, avec son même caractère rassurant de classe moyenne.

— Je vous attends ?

— Tu m'accompagnes. Nous allons peut-être avoir du travail.

La porte vitrée de la loge se trouvait à gauche du couloir. La concierge était une femme âgée, l'air assez distingué, qui paraissait fatiguée.

— Qu'est-ce que c'est ? demanda-t-elle aux deux hommes sans se lever de son fauteuil, tandis qu'un chat roux sautait de ses genoux et venait se frotter aux jambes de Maigret.

Celui-ci se nomma, eut soin de retirer son chapeau de parler d'un ton respectueux.

— M. Point m'a chargé d'une enquête au sujet d'un vol dont il a été victime il y a deux jours.

— Un vol ? Dans la maison ? Et il ne m'en a rien dit ?

— Il vous le confirmera quand il aura l'occasion de vous voir et, si vous avez des doutes, il vous suffit de lui téléphoner.

— Ce n'est pas la peine. Du moment que vous êtes commissaire, il faut bien que je vous croie, n'est-ce pas ? Comment cela a-t-il pu se produire ? La maison est tranquille. La police n'a jamais eu à y mettre les pieds depuis trente-cinq ans que j'y suis.

— Je voudrais que vous vous souveniez de la journée de mardi, en particulier de la matinée.

— Mardi... Attendez... C'était avant-hier...

— Oui. La veille au soir, le ministre est venu dans son appartement.

— C'est lui qui vous l'a dit ?

— Non seulement il me l'a dit, mais, je l'y ai rencontré. Vous m'avez donné le cordon un peu après dix heures du soir.

— Je crois que je me souviens, oui.

— Il a dû partir un peu après moi.

— Oui.

— Avez-vous ouvert à d'autres personnes pendant la nuit ?

— Certainement pas. Il est rare que des locataires rentrent après minuit. Ce sont des gens paisibles. Si cela était arrivé, je m'en souviendrais.

— A quelle heure ouvrez-vous la porte, le matin ?

— A six heures et demie, parfois sept heures.

— Vous vous tenez ensuite dans la loge ?

Celle-ci ne comportait qu'une pièce, avec un fourneau à gaz, une table ronde, un évier et, derrière un rideau, un lit recouvert de rouge sombre.

— Sauf quand je balaie l'escalier.

— A quelle heure ?

— Pas avant neuf heures. Après que j'ai monté le courrier, qui arrive à huit heures et demie.

— La cage d'ascenseur étant vitrée, je suppose que, quand vous êtes dans l'escalier, vous voyez qui monte et qui descend ?

— Oui. Je regarde toujours machinalement.

— Avez-vous vu, ce matin-là, quelqu'un se rendre au quatrième ?

— Sûrement pas.

— Personne, dans la matinée, ou même dans le début de l'après-midi, ne vous a demandé si le ministre était chez lui ?

— Personne. On a seulement téléphoné.

— A vous ?

— Non. A l'appartement.

— Comment le savez-vous ?

— Parce que je me trouvais dans l'escalier entre le quatrième et le cinquième.

— Quelle heure était-il ?

— Peut-être dix heures ? Peut-être un peu moins ? Mes jambes ne me permettent plus de travailler vite. J'ai entendu la sonnerie du téléphone derrière la porte. Cela a duré longtemps. Puis, un quart d'heure plus tard, quand j'ai eu fini mon nettoyage et que je suis redescendue, on a téléphoné à nouveau, même que j'ai grommelé :

« Sonne toujours ! »

— Ensuite ?

— Rien.

— Vous êtes rentrée dans la loge ?

— Pour faire un brin de toilette.

— Vous n'êtes pas sortie de l'immeuble ?

— Comme chaque matin, pendant environ un quart d'heure ou vingt minutes, le temps de faire mon marché. L'épicerie est à côté, le boucher juste au coin de la rue. De chez l'épicier, je vois qui entre et sort. Je surveille toujours la maison.

— Et de la boucherie ?

— Je ne peux pas voir, mais je ne reste pas longtemps. Je vis seule avec mon chat. J'achète presque tous les jours la même chose. A mon âge, on n'a plus d'appétit.

— Vous ne savez pas à quelle heure exactement vous étiez chez le boucher.

— Pas exactement, non. Il y a une grosse horloge au-dessus de la caisse, mais je ne la regarde jamais.

— Revenue chez vous, vous n'avez vu sortir personne que vous n'ayez pas vu entrer ?

— Je ne me rappelle pas. Non. Je m'occupe moins des gens qui sortent que de ceux qui entrent, naturellement, sauf des locataires, parce que, pour eux, je dois pouvoir répondre s'ils sont chez eux ou non. Il y a toujours des livreurs, des employés du gaz, des marchands d'aspirateurs...

Il savait qu'il n'en tirerait rien de plus et que si par la suite, un détail lui revenait à la mémoire, elle ne manquerait pas de le lui dire.

— Nous allons, l'inspecteur et moi, interroger vos locataires, fit Maigret.

— Si vous voulez. Vous verrez que ce sont tous de braves gens, sauf peut-être la vieille du troisième qui...

Rien que d'accomplir à nouveau un travail de routine, Maigret se sentait plus d'aplomb.

— Nous repasserons vous voir en sortant, promit-il.

Et il eut soin, en sortant, de caresser la tête du chat.

— Tu prends les appartements de gauche, dit-il ensuite à Lapointe. Je m'occupe de ceux de droite. Tu as compris ce que je cherche ?

Il ajouta familièrement :

— Au boulot, vieux !

6

LE DEJEUNER AU *FILET DE SOLE*

AVANT de sonner à la première porte, il se
ravisa, se tourna vers Lapointe qui, de son côté, tendait la main vers le bouton.

— Tu n'as pas soif ?

— Non, patron.

— Commence toujours. Je reviens dans un instant.

Il aurait pu, à la rigueur, donner de chez la
concierge le coup de téléphone auquel il venait de
penser. Outre qu'il préférait ne pas parler devant
témoin, il ne lui déplairait pas de boire quelque
chose, un coup de blanc, par exemple.

Il dut parcourir une centaine de mètres pour trouver un bistrot exigu où, en dehors du patron il n'y
avait pas une âme.

— Un vin blanc, commanda-t-il.

Il se reprit.

— Plutôt un Pernod.

Cela s'harmonisait mieux avec son humeur et avec
le temps, avec l'odeur de ce petit bar propret où il
semblait qu'il ne venait jamais personne.

Il attendit d'être servi et d'avoir bu la moitié de
son verre avant de se diriger vers la cabine.

Lorsqu'on lit, dans les journaux, le compte rendu
d'une enquête, on a l'impression que la police suit
une ligne droite, qu'elle sait où elle va, dès le début.

Les événements s'enchaînent avec logique, comme les entrées et les sorties des personnages dans une pièce de théâtre bien réglée.

On parle rarement des allées et venues inutiles, des recherches fastidieuses dans des directions qui n'aboutissent qu'à des impasses, des coups de sonde donnés au hasard à gauche et à droite.

Maigret n'aurait pas pu citer une seule enquête au cours de laquelle, à un moment ou à un autre, il n'ait pataugé.

Ce matin, il n'avait pas eu le temps, à la P.J., de s'informer de Lucas, de Janvier et de Torrence qu'il avait, la veille, chargés de missions qui apparaissaient ce matin comme sans importance.

— La P.J. ? Voulez-vous me passer Lucas ? S'il n'est pas là, donnez-moi Janvier.

Ce fut la voix de Lucas qu'il entendit au bout du fil.

— C'est vous, patron ?

— Oui. Avant tout, veux-tu prendre note d'un boulot urgent ? Il faudra te procurer une photographie de Piquemal, le type de l'Ecole des Ponts et Chaussées. Inutile de chercher dans sa chambre d'hôtel. Il n'y en a pas. Je serais surpris qu'à l'Ecole il n'existe pas une photo de groupe, comme on a l'habitude d'en prendre en fin d'année, dont les gens de l'Identité Judiciaire pourront tirer quelque chose.

« Qu'ils travaillent le plus vite possible. Il est encore temps pour que la photographie paraisse dans les journaux de l'après-midi. Qu'on la transmette aussi à toutes les polices. Pour ne rien négliger, fais donc aussi jeter un coup d'œil à l'Institut médico-légal. »

— Compris, patron.

— Tu as du nouveau ?

— J'ai trouvé la nommée Marcelle, qui s'appelle Marcelle Luquet.

En esprit, Maigret avait déjà abandonné cette piste-là, mais il ne voulut pas donner à Lucas l'impression qu'il avait travaillé pour rien.

— Alors ?

— Elle travaille comme correctrice d'épreuves à l'Imprimerie du Croissant, où elle fait partie de l'équipe de nuit. Ce n'est pas là que s'impriment *la Rumeur*, ni *le Globe*. Elle a entendu parler de Tabard, qu'elle ne connaît pas personnellement. Elle n'a jamais rencontré Mascoulin.

— Tu lui as parlé ?

— Je lui ai offert un café-crème rue Montmartre. C'est une femme bien. Elle a vécu seule jusqu'à ce qu'elle rencontre Fleury et elle en est tombée amoureuse. Elle l'est toujours. Elle ne lui en veut pas de l'avoir quittée et si, demain, il désirait la reprendre, elle retournerait à lui sans un reproche. Selon elle, c'est un grand enfant qui a besoin d'aide et d'affection. Elle prétend que, s'il est capable de petites tricheries à la façon des enfants, il est incapable d'une vraie malpropreté.

— Janvier est près de toi ?

— Oui.

— Passe-le-moi.

Janvier n'avait rien à dire. Il avait fait le pied de grue en face de l'immeuble de la rue Vaneau jusqu'au moment où, vers minuit, Torrence était venu le relayer.

— Blanche Lamotte est rentrée, à pied, toute seule, vers onze heures du soir et est montée chez elle où la lumière est restée allumée pendant environ une demi-heure.

— Il n'y avait personne de la rue des Saussaies aux alentours ?

— Personne. J'ai pu compter les gens de la rue qui rentraient du cinéma ou du théâtre.

Torrence avait eu une nuit encore plus calme. De toute la nuit, il n'avait vu que sept passants rue Vaneau.

— La lumière s'est allumée à six heures du matin. Je suppose qu'elle se lève tôt pour faire son ménage. Elle est sortie à huit heures dix et s'est dirigée vers le boulevard Saint-Germain.

Maigret alla au comptoir finir son Pernod et, comme celui-ci était léger, il en prit un second pendant qu'il bourrait une pipe.

Quand il rentra dans l'immeuble du boulevard Pasteur, il entendit que Lapointe en était à son troisième appartement et commença patiemment à en faire sa part.

C'est parfois long de questionner les gens. A cette heure-là, les deux hommes ne trouvaient que des femmes occupées à leur ménage. Leur premier réflexe était de refermer la porte, car elles les prenaient pour des marchands d'appareils quelconques ou pour des agents d'assurances. Au mot police, elles avaient toutes le même haut-le-corps.

Pendant qu'on leur parlait, leur esprit était ailleurs, à ce qu'elles avaient sur le feu, au bébé qui jouait par terre, à l'aspirateur électrique qui continuait à fonctionner à vide. Certaines étaient gênées d'être surprises en négligé et s'arrangeaient les cheveux d'un geste machinal.

« Essayez de vous souvenir de mardi matin...

« Mardi, oui...

« Est-ce que, entre dix heures et midi, par exemple, il vous est arrivé d'ouvrir votre porte ? »

La première que Maigret questionna n'était pas chez elle le mardi, mais à l'hôpital où on opérait sa sœur. La seconde, qui était jeune et tenait un enfant sur le bras en le soutenant de sa hanche, confondait sans cesse mardi et mercredi.

« J'étais ici, oui. Je suis toujours ici le matin. Je fais mon marché en fin d'après-midi, quand mon mari est rentré.

« Vous est-il arrivé d'ouvrir votre porte ? »

Il fallait, avec une patience infinie, les remettre petit à petit dans l'atmosphère du mardi matin. Si on leur avait demandé à brûle-pourpoint : « Avez-vous vu, dans l'ascenseur ou dans l'escalier, une personne étrangère à l'immeuble qui montait au quatrième ?... », elles auraient répondu non, de bonne foi, sans se donner la peine de réfléchir.

Au troisième étage, Maigret rattrapa Lapointe parce qu'il n'avait trouvé personne dans l'appartement du second à gauche.

Les locataires, à l'image de la maison, vivaient, derrière leur porte, des petites vies familiales qui semblaient sans histoire. L'odeur variait d'un étage à l'autre, la couleur des papiers peints, mais tout cela appartenait à la même classe laborieuse et honnête que la police effraie toujours quelque peu.

Maigret était aux prises avec une vieille femme sourde qui ne l'avait pas invité à entrer et qui lui faisait répéter chaque question. Il entendait Lapointe parler derrière la porte d'en face.

« Pourquoi, criait la sourde, voudriez-vous que j'aie ouvert ma porte ? Est-ce que cette chipie de concierge m'accuse d'épier les locataires ?

« Mais non, madame. On ne vous accuse de rien du tout.

« Alors, pourquoi la police vient-elle chez moi me
poser des questions ?

« Nous essayons d'établir si un homme...

« Quel homme ?

« Un homme que nous ne connaissons pas, mais
que nous recherchons.

« Qu'est-ce que vous recherchez ?

« Un homme.

« Qu'est-ce qu'il a fait ? »

Il essayait encore de se faire comprendre quand la
porte d'en face s'ouvrit. Lapointe, d'un signe, apprit à
Maigret qu'il avait du nouveau et le commissaire prit
brusquement congé de la vieille femme dépitée.

— Je vous présente Mme Gaudry, patron. Son
mari travaille dans une banque du boulevard des
Italiens. Son fils a cinq ans.

Maigret apercevait celui-ci derrière sa mère dont il
tenait la robe à deux mains.

— Il lui arrive, le matin, d'envoyer le gamin dans
le voisinage, chez quelque commerçant, mais seulement chez ceux qui se trouvent de ce côté-ci du
boulevard.

— Je ne le laisse pas traverser seul la rue. Je garde
toujours la porte entrouverte quand il est dehors.
C'est ainsi que mardi...

— Vous avez entendu quelqu'un monter ?

— Oui. J'attendais Bob. Un instant, j'ai cru que
c'était lui. La plupart des gens prennent l'ascenseur,
mais je ne le lui permets pas encore.

— Je pourrais ! affirma le gamin. Je l'ai déjà fait
marcher.

— Tu as été puni. Bref, j'ai jeté un coup d'œil au
moment où un homme franchissait le palier et se
dirigeait vers le quatrième.

— Quelle heure était-il ?

— Aux alentours de dix heures et demie. Je venais de mettre un ragoût au feu.

— L'homme vous a parlé ?

— Non. Je ne l'ai d'abord vu que de dos. Il portait un manteau beige assez léger, peut-être une gabardine, je n'ai pas fait trop attention, et il avait les épaules larges, un cou assez épais.

Elle eut un coup d'œil au cou de Maigret.

— Mon embonpoint ?

Elle hésita, rougit.

— Pas tout à fait. Il était plus jeune. Dans les quarante ans, à mon avis. J'ai aperçu son visage quand il est arrivé au tournant de l'escalier et, de son côté, il m'a lancé un coup d'œil, a paru mécontent que je sois là.

— Il s'est arrêté au quatrième ?

— Oui.

— Il a sonné à une porte ?

— Non. Il est entré dans l'appartement de M. Point, même qu'il lui a fallu un certain temps pour ouvrir.

— Comme s'il essayait plusieurs clefs ?

— Je ne peux pas dire ça, mais comme s'il n'était pas familier avec la serrure.

— Vous l'avez vu repartir ?

— Je ne l'ai pas vu parce que, cette fois, il a pris l'ascenseur.

— Longtemps après ?

— Moins de dix minutes.

— Vous êtes restée tout ce temps-là sur le palier ?

— Non. Seulement Bob n'était toujours pas rentré et la porte était entrouverte. J'ai entendu l'ascenseur qui montait, s'arrêtait au quatrième et redescendait.

— En dehors de sa corpulence, vous pourriez le décrire ?

— C'est difficile. Il a le teint plutôt coloré, comme un homme qui fait bonne chère.

— Des lunettes ?

— Je ne crois pas. Je suis sûre que non.

— Il fumait la pipe ? La cigarette ?

— Non... Attendez... Je suis presque sûre qu'il fumait un cigare... Cela m'a frappée parce que mon beau-frère...

Cela correspondait, cigare en plus, à la description, fournie par le marchand de vins de la rue Jacob, de l'homme qui avait accosté Piquemal. Cela pouvait correspondre aussi à celle de l'inconnu qui était monté, rue Vaneau, chez Mlle Blanche.

Quelques minutes plus tard, Maigret et Lapointe se retrouvaient sur le trottoir.

— Où allons-nous ?

— Dépose-moi au Quai. Tu te rendras ensuite rue Vaneau et rue Jacob pour savoir si, par hasard, l'homme fumait le cigare.

Quand il entra dans son bureau, Lucas avait déjà obtenu une photographie sur laquelle Piquemal figurait, en second plan malheureusement, mais qui était assez nette pour que les spécialistes de l'Identité Judiciaire en tirent quelque chose.

Il se fit annoncer chez le Directeur de la P.J., où il passa près d'une demi-heure à mettre celui-ci au courant.

— J'aime mieux ça ! soupira le chef quand il eut fini.

— Moi aussi.

— Je serai encore plus tranquille quand nous saurons — si nous le savons un jour — qui est ce type-là.

Ils avaient tous les deux la même arrière-pensée et

préféraient n'en pas parler. N'était-il pas possible que l'individu dont ils retrouvaient ainsi la trace par trois fois ne soit qu'un homme appartenant à l'autre maison, à la rue des Saussaies ?

Maigret avait de bons amis, là-bas, un en particulier, un nommé Catroux, dont il avait tenu le fils sur les fonts baptismaux. Il hésitait à s'adresser à lui, car si Catroux savait quelque chose, il risquait de le mettre dans une fausse situation.

Tout à l'heure, la photographie de Piquemal paraîtrait dans les journaux de l'après-midi. Ne serait-ce pas ironique qu'au même moment celui que la P.J. recherchait se trouve entre les mains de la Sûreté ?

Celle-ci pouvait l'avoir retiré momentanément de la circulation parce qu'il en savait trop.

Peut-être aussi l'avait-on conduit rue des Saussaies pour lui tirer les vers du nez ?

Les journaux allaient annoncer que la P.J., et Maigret en particulier, s'occupaient de l'affaire.

Ce serait de bonne guerre, pour la Sûreté, de le laisser partir en campagne, puis, après quelques heures, d'annoncer qu'elle avait mis la main sur Piquemal.

— Vous croyez, bien entendu, insistait le chef, que Point est honnête et ne vous cache rien ?

— J'en jurerais.

— Ceux qui l'entourent aussi ?

— C'est mon impression. Je me suis renseigné sur chacun. Je ne sais pas tout sur leur vie, certes, mais ce que j'en connais me donne à penser qu'il faut chercher ailleurs. La lettre que je vous ai montrée...

— Mascoulin ?

— Il est sans doute mêlé à l'affaire. La lettre le prouve.

— Qu'allez-vous faire ?

— Cela ne m'avancera peut-être pas, mais j'ai envie, sans raison précise, de le voir d'un peu plus près. Il me suffit d'aller déjeuner au *Filet de Sole*, place des Victoires, où on prétend qu'il tient ses assises.

— Prenez garde.

— Je sais.

Il passa par le bureau des inspecteurs pour donner quelques instructions. Lapointe venait de rentrer.

— Alors ? Les cigares ?

— C'est curieux que ce soit une femme qui ait noté ce détail-là. Le patron du bistrot est incapable de dire si l'homme fumait la pipe, le cigare ou la cigarette, alors qu'il est resté à son bar pendant plus d'un quart d'heure. Il pencherait plutôt pour le cigare. La concierge de Mlle Blanche, elle, est catégorique.

— Il fumait le cigare ?

— Non. La cigarette. Il en a jeté un bout dans l'escalier et l'a écrasé sous sa semelle.

Il était une heure quand Maigret pénétra dans le fameux restaurant de la place des Victoires, une petite sensation désagréable dans la poitrine, car il n'est pas prudent, lorsqu'on n'est qu'un fonctionnaire, de se mesurer avec un Mascoulin.

Il n'avait rien contre celui-ci, sinon un bref billet que le député pouvait expliquer de cent façons plausibles. Et, ici, Mascoulin était sur son terrain. Maigret faisait figure d'intrus et le maître d'hôtel le regarda s'avancer vers lui sans se déranger pour l'accueillir.

— Vous avez une table ?

— Combien de personnes ?

— Je suis seul.

La plupart des tables étaient occupées et on entendait un murmure soutenu de conversations qu'accompagnaient un bruit de fourchettes et des chocs de verres. Le maître d'hôtel regardait autour de lui, s'approchait d'une table plus petite que les autres, coincée contre le tambour de la porte.

Trois autres tables étaient libres mais, si le commissaire en avait parlé, on lui aurait probablement répondu qu'elles étaient réservées, ce qui était fort possible.

La dame du vestiaire finit, sur un signe, par venir lui prendre son pardessus et son chapeau. Il dut ensuite attendre longtemps qu'on s'occupe de sa commande et il eut le loisir de faire des yeux le tour de la salle.

Le restaurant était fréquenté par des gens importants et, au déjeuner, on n'y voyait guère que des hommes, financiers, avocats connus, journalistes, politiciens, tous évoluant plus ou moins dans un même milieu et s'adressant de loin des signes de reconnaissance.

Certains avaient reconnu le commissaire et on devait parler de lui à voix basse à plusieurs tables.

Joseph Mascoulin était assis dans l'angle droit, sur la banquette, en compagnie de maître Pinard, un avocat presque aussi fameux que le député pour la férocité qu'il mettait dans ses plaidoiries.

Un troisième convive tournait le dos à Maigret, un homme d'un certain âge, aux épaules étriquées, aux rares cheveux gris ramenés sur le crâne. Ce n'est que quand il lui arriva de se montrer de profil que le commissaire reconnut Sauvegrain, le beau-frère et associé de Nicoud, dont il avait vu la photographie dans les journaux.

Déjà Mascoulin, qui mangeait une entrecôte, avait

repéré Maigret et tenait le regard fixé sur lui comme
s'il n'y avait rien d'autre d'intéressant dans la salle. Il
y avait d'abord eu de la curiosité dans ses yeux, puis
une petite flamme d'ironie s'y était allumée et, maintenant, il semblait attendre avec amusement les prochains mouvements du commissaire.

Celui-ci put enfin composer son menu, commanda
une demi-bouteille de pouilly et continua à fumer sa
pipe à petites bouffées en soutenant le regard du
député. La différence entre eux c'est que, comme
toujours dans ces cas-là, les yeux de Maigret semblaient vides. On aurait pu croire que ce qu'il fixait
de la sorte était aussi neutre, aussi inintéressant qu'un
mur blanc et qu'il ne pensait à rien, sinon à la sole
dieppoise qu'il venait de commander.

Il était loin de connaître l'histoire complète de
Nicoud et de son entreprise. La rumeur publique
prétendait que Sauvegrain, le beau-frère, qui,
jusqu'au mariage de sa sœur, une dizaine d'années
plus tôt, n'était qu'un obscur tâcheron, ne faisait
partie de la société qu'en nom. Il occupait un bureau,
avenue de la République, non loin de celui de
Nicoud. Ce bureau était vaste, somptueux, mais Sauvegrain y passait ses journées à attendre les visiteurs
sans importance qu'on lui envoyait pour l'occuper.

Si Mascoulin l'acceptait ouvertement à sa table, il
devait avoir ses raisons. Maître Pinard, lui, était-il là
parce qu'il s'occupait des intérêts de Sauvegrain ?

Un directeur de journal, en sortant, s'arrêta devant
Maigret, lui serra la main.

— En plein travail ? lui demanda-t-il.

Et comme le commissaire feignait de ne pas comprendre :

— Je ne pense pas vous avoir jamais vu ici.

Son regard se dirigeait vers le coin de Mascoulin.

— Je ne savais pas que la P.J. s'occupait de ce genre d'affaires. Vous avez retrouvé Piquemal ?

— Pas encore.

— Toujours à la recherche du rapport Calame ?

C'était dit d'un ton narquois, comme si le rapport Calame n'avait existé que dans l'imagination de certaines gens, ou comme si Maigret ne devait jamais le découvrir.

— Nous cherchons, se contenta-t-il de répondre.

Le journaliste ouvrit la bouche, ne dit pas ce qu'il avait eu envie de dire et sortit avec un signe cordial de la main. Dans le tambour de la porte, il se heurta presque avec un nouveau venu que Maigret n'aurait probablement pas vu s'il n'avait suivi son interlocuteur des yeux.

L'homme, en effet, au moment de pousser la seconde porte, aperçut le commissaire à travers la vitre et son visage exprima un certain désarroi. Normalement, il aurait dû saluer Maigret, qu'il connaissait depuis des années. Il faillit le faire, jeta un coup d'œil hésitant à la table de Mascoulin et, espérant peut-être que Maigret n'avait pas eu le temps de le reconnaître, fit brusquement demi-tour et disparut.

Mascoulin, de son coin, n'avait rien perdu de la scène, encore que rien n'en parût sur son visage de joueur de poker.

Qu'est-ce que Maurice Labat était venu faire au *Filet de Sole*, et pourquoi avait-il battu en retraite en apercevant Maigret dans le restaurant ?

Il avait appartenu pendant une dizaine d'années à un service de la rue des Saussaies et il y avait même eu une époque, assez brève il est vrai, durant laquelle on prétendait qu'il avait de l'influence sur le ministre.

Soudain, on avait appris, d'abord qu'il avait donné

sa démission, ensuite qu'il ne l'avait pas fait de son plein gré mais pour s'éviter des ennuis plus sérieux.

Depuis, on continuait à le voir évoluer en marge des milieux qui fréquentent les endroits comme *le Filet de Sole*. Il n'avait pas, ainsi que d'autres dans son cas, ouvert une agence de police privée. On ne lui connaissait pas de profession ni de ressources avouées. Outre sa femme et ses enfants, il avait, dans un appartement de la rue de Ponthieu, une maîtresse, de vingt ans plus jeune que lui et qui devait lui coûter assez cher.

Maigret en oubliait de savourer sa sole dieppoise comme elle le méritait, car l'incident Labat avait de quoi le faire réfléchir.

N'était-il pas naturel de penser que celui que l'ancien policier venait voir au *Filet de Sole* n'était autre que Mascoulin ?

Labat était l'homme, entre mille, qu'on pouvait charger de certaines besognes plus ou moins louches et il devait avoir conservé des amis rue des Saussaies.

Espérait-il, en battant en retraite, que Maigret n'avait pas eu le temps de le reconnaître ? Mascoulin, que le commissaire ne pouvait voir à ce moment-là, lui avait-il fait signe de ne pas entrer ?

Si Labat avait été âgé d'une quarantaine d'années, avait eu un certain embonpoint et s'il avait fumé le cigare, le commissaire aurait été persuadé qu'il venait de découvrir l'homme qui s'était rendu boulevard Pasteur et rue Vaneau et qui avait enlevé Piquemal.

Mais Labat avait trente-six ans à peine. Il était corse et en avait le type. Petit et mince, il portait des souliers à talons hauts pour se grandir et des moustaches brunes en virgules. Enfin, il fumait la cigarette du matin au soir, ce dont témoignaient ses doigts jaunis.

Son apparition n'aiguillait pas moins l'esprit de Maigret dans une nouvelle direction et il s'en voulait de s'être laissé hypnotiser par la rue des Saussaies.

Labat en avait fait partie mais n'en était plus. Il existait quelques douzaines d'autres anciens policiers comme lui, à Paris, dont la Sûreté avait dû se débarrasser pour des raisons plus ou moins semblables.

Maigret se promit, tout à l'heure, d'en obtenir une liste. Il faillit téléphoner tout de suite à Lucas pour qu'il se la procure et, s'il ne le fit pas, si étrange que cela paraisse, c'est qu'il hésitait à traverser la salle sous le regard moqueur de Mascoulin.

Celui-ci, qui n'avait pas pris de dessert, en était au café. Maigret ne commanda pas de dessert non plus, mais du café et une fine, commença à bourrer sa pipe en évoquant des visages qu'il avait connus rue des Saussaies. Il se sentait un peu comme quand on cherche un nom qu'on a sur le bout de la langue et dont on ne parvient pas à se souvenir.

Dès qu'on lui avait parlé de l'homme corpulent, et surtout depuis qu'il avait été question de cigare, quelque chose avait remué dans sa mémoire.

Il était tellement pris par ses pensées qu'il remarqua à peine que Mascoulin se levait en s'essuyant les lèvres de sa serviette et adressait quelques mots à ses compagnons. Plus exactement, il le voyait se lever, repousser la table pour se frayer un passage, s'avancer enfin vers lui d'une démarche tranquille, mais c'était comme si cela ne le regardait en rien.

— Vous permettez, commissaire ? disait Mascoulin en saisissant le dossier de la chaise qui faisait face à Maigret.

Son visage était sérieux, avec seulement au coin de la lèvre un frémissement qui n'était peut-être qu'un tic nerveux.

Pendant un moment, Maigret fut décontenancé. Il ne s'attendait pas à cela. Il n'avait jamais entendu la voix de Mascoulin, qui était grave et avait un timbre agréable. On prétendait que c'était à cause de cette voix-là que certaines femmes, malgré son visage peu attrayant de Grand Inquisiteur, se disputaient les places à la Chambre quand il devait y prendre la parole.

— Curieuse coïncidence que vous soyez venu ici aujourd'hui. J'allais vous téléphoner.

Maigret restait impassible, s'efforçant, dans la mesure du possible, de lui rendre la tâche plus difficile, mais le député ne paraissait pas décontenancé par son silence.

— Je viens seulement d'apprendre que vous vous occupez de Piquemal et du document Calame.

Il parlait à mi-voix, à cause des autres dîneurs, et, de nombreuses tables, les regards convergeaient vers eux.

— Non seulement j'ai des renseignements importants à vous fournir, mais je pense que je devrais faire une déposition officielle. Peut-être, tout à l'heure, voudrez-vous envoyer un de vos inspecteurs à la Chambre pour en prendre note ? N'importe qui lui dira où me trouver.

Maigret ne broncha toujours pas.

— Il s'agit de ce Piquemal, avec qui il se fait que, la semaine dernière, j'ai été en contact.

Maigret avait, dans sa poche, la lettre de Mascoulin, et commençait à comprendre pourquoi celui-ci éprouvait le besoin de lui parler.

— Je ne sais plus quel jour, mon secrétaire m'a

fait lire une des nombreuses lettres que je reçois
quotidiennement et auxquelles il est chargé de
répondre. Elle était signée Piquemal, portait l'adresse
d'un hôtel de la rue Jacob dont j'ai oublié le nom, un
nom de province si je ne me trompe.

Sans le quitter des yeux, Maigret but une gorgée de
café et se remit à fumer sa pipe à petites bouffées.

— Chaque jour, vous vous en doutez, je reçois
quelques centaines de lettres de gens de toutes sortes,
des fous, des demi-fous, d'honnêtes gens qui me
signalent des abus, et c'est la tâche de mon secrétaire,
un jeune homme de valeur en qui j'ai toute
confiance, de faire la part du feu.

Pourquoi Maigret se demanda-t-il, en étudiant le
visage de son interlocuteur, si Mascoulin était pédé-
raste ? Il n'y avait jamais eu aucune rumeur de ce
genre à son sujet. S'il l'était, il le cachait avec soin. Il
semblait au commissaire que cela expliquerait certains traits de son caractère.

— La lettre Piquemal m'a paru sincère et je suis
sûr que vous aurez la même impression si je la
retrouve, car je me ferais un devoir de vous
l'envoyer. Il m'y disait qu'il était le seul homme à
Paris à savoir où se trouvait le rapport Calame et à
être en mesure de se le procurer. Il ajoutait qu'il
s'adressait à moi plutôt qu'à un organisme officiel
parce qu'il savait que trop de gens avaient intérêt à
étouffer l'affaire et que j'étais le seul à lui donner
toute confiance. Je m'excuse de répéter ses termes. Je
lui ai envoyé un mot, à tout hasard, pour lui donner
rendez-vous.

Tranquillement, Maigret tira son portefeuille de sa
poche et en sortit la lettre à en-tête de la Chambre, se
contenta de la montrer, sans la tendre par-dessus la

table, en dépit du geste de Mascoulin pour la saisir.

— Ce billet-ci ?

— Je suppose. Je crois reconnaître mon écriture.

Il ne demanda pas comment Maigret avait la lettre en sa possession, évita de marquer la moindre surprise, remarqua :

— Je vois que vous êtes au courant. Je l'ai donc rencontré à la *Brasserie du Croissant*, qui n'est pas loin de l'imprimerie, et où, le soir, je donne une partie de mes rendez-vous. Il m'a paru un peu exalté, un peu trop « ligueur » pour mon goût. Je l'ai laissé parler.

— Il vous a annoncé qu'il avait le rapport en sa possession ?

— Pas exactement. Ces hommes-là ne font jamais les choses aussi simplement. Ils ont besoin de s'entourer d'une atmosphère de conjuration. Il m'a appris qu'il travaillait à l'Ecole des Ponts et Chaussées, qu'il lui était arrivé de servir d'assistant au professeur Calame et qu'il croyait savoir où se trouvait le rapport rédigé jadis par celui-ci au sujet du sanatorium de Clairfond. L'entretien n'a pas duré plus de dix minutes, car j'avais les épreuves de mon article à revoir.

— Piquemal vous a ensuite porté le rapport ?

— Je ne l'ai pas revu. Il proposait de me le remettre le lundi ou le mardi, le mercredi au plus tard. Je lui ai répondu que je ne voulais pas, pour des raisons que vous devez comprendre, que le document me passe entre les mains. Ce rapport-là, c'est de la dynamite, nous en avons la preuve aujourd'hui.

— A qui lui avez-vous conseillé de le confier ?

— A ses chefs.

— C'est-à-dire au directeur de l'Ecole des Ponts et Chaussées ?

— Je ne pense pas avoir précisé. Peut-être ai-je prononcé le mot ministère, qui m'est venu tout naturellement à l'esprit.

— Il n'a pas tenté de vous téléphoner ?

— Pas que je sache.

— Ni de vous voir ?

— S'il l'a fait, il n'y est pas parvenu car, comme je vous l'ai dit, je n'ai plus eu de nouvelles de lui que par les journaux.

« Il semble qu'il ait suivi mon conseil, en l'exagérant quelque peu, puisqu'il est allé directement au ministre. Dès que j'ai entendu parler de sa disparition, je me suis promis de vous mettre au courant de l'incident. C'est fait. Etant donné les répercussions possibles de l'affaire, je préfère que ma déclaration soit dûment enregistrée. Si donc, cet après-midi... »

Il n'y avait rien d'autre à faire. Maigret était obligé de lui envoyer quelqu'un pour prendre note de sa déposition. L'inspecteur, Maigret en était sûr, trouverait Mascoulin entouré d'un certain nombre de ses collègues et de journalistes. N'était-ce pas une façon d'accuser Auguste Point ?

— Je vous remercie, se contenta-t-il de murmurer. Je ferai le nécessaire.

Mascoulin parut un peu désarçonné, comme s'il s'était attendu à autre chose. S'était-il figuré que le commissaire lui poserait des questions embarassantes, ou bien manifesterait d'une façon ou d'une autre son incrédulité ?

— Je ne fais que mon devoir. Si j'avais prévu que les événements prendraient cette tournure, je vous en aurais parlé plus tôt.

Il avait perpétuellement l'air de jouer un rôle, et

même, aurait-on juré, de ne pas s'en cacher. Il semblait dire :

« J'ai été plus malin que toi. Essaie de riposter à celle-là ! »

Maigret eut-il tort ? D'un certain point de vue, certainement, car il n'avait rien à gagner, tout à perdre au contraire, à se mesurer avec un homme aussi puissant et aussi retors que Mascoulin.

Celui-ci, debout, lui tendait la main. Le commissaire, en un éclair, se souvint de Point et de son histoire de mains sales.

Il ne prit pas le temps de peser le pour et le contre, saisit sa tasse de café qui était vide et la porta à ses lèvres, ignorant ainsi la main qu'on lui offrait.

Une ombre passa dans les yeux du député. Le frémissement, au coin de sa lèvre, loin de disparaître, s'accentua.

Il se contenta de prononcer :

— Au revoir, *Monsieur* Maigret.

Appuya-t-il intentionnellement sur le « Monsieur », comme Maigret en eut l'impression ? Si oui, c'était une menace à peine déguisée, car cela signifiait que Maigret n'en avait pas pour longtemps à jouir de son titre de commissaire.

Il le suivit des yeux tandis qu'il retournait à sa table et se penchait vers ses compagnons, appela machinalement :

— Garçon ! L'addition, s'il vous plaît.

Dix personnes au moins, qui toutes, à un titre ou à un autre, jouaient un rôle important dans la vie du pays, avaient le regard fixé sur lui.

Il dut boire son verre de fine sans s'en rendre compte car, dehors, il en retrouva la saveur dans sa bouche.

7

LES TAXIS DU COMMISSAIRE

CE n'était pas la première fois qu'il faisait une de ces entrées-là, moins en patron qu'en copain. Il ouvrait la porte du bureau des inspecteurs et, repoussant son chapeau sur la nuque, allait s'asseoir sur le coin d'une table, vidait sa pipe sur le plancher en la frappant contre son talon avant d'en bourrer une autre. Il les regardait les uns après les autres, occupés à divers travaux, avec l'expression d'un père de famille qui rentre chez lui le soir, content de retrouver les siens, et qui en fait le compte.

Il s'écoula un certain temps avant qu'il grommelât :

— Je parie que tu vas avoir ta photo dans les journaux, mon petit Lapointe.

Celui-ci leva la tête en s'efforçant de ne pas rougir, une certaine incrédulité dans les yeux. Au fond, tous autant qu'ils étaient, à l'exception de Maigret qui en avait par trop l'habitude, étaient secrètement enchantés quand les journaux publiaient leur photographie. A chaque fois, ils n'en feignaient pas moins de protester :

« Avec cette publicité-là, cela va être facile, maintenant, de faire une planque et de passer inaperçu ! »

Les autres écoutaient aussi. Si Maigret était

venu parler à Lapointe dans le bureau commun, c'est que ce qu'il avait à lui dire s'adressait à tout le monde.

— Tu vas te munir d'un bloc de sténo et te rendre à la Chambre. Tu n'auras aucune peine, j'en suis sûr, à trouver le député Mascoulin, et je serais surpris que tu ne le trouves au milieu d'une impressionnante compagnie. Il te fera une déposition que tu enregistreras avec soin. Tu viendras ensuite la taper et tu la laisseras sur mon bureau.

Les journaux de l'après-midi dépassaient de sa poche, avec, en première page, la photographie d'Auguste Point et la sienne. Il n'y avait jeté qu'un coup d'œil. Il savait à peu près exactement ce qu'on pouvait lire sous les gros titres.

— C'est tout ? questionna Lapointe en allant prendre son pardessus et son chapeau dans le placard.

— Pour le moment.

Maigret restait là, à fumer rêveusement.

— Dites donc, mes enfants...

Les inspecteurs levèrent la tête.

— Essayez de penser à des gens de la rue des Saussaies qui se sont fait mettre à la porte ou qui ont été obligés de démissionner.

— Récemment ? questionna Lucas.

— Peu importe quand. Mettons au cours des dix dernières années.

Torrence lança :

— Il doit y en avoir une liste !

— Cite des noms.

— Baudelin. Celui qui fait maintenant des enquêtes pour une compagnie d'assurances.

Maigret essayait de se remémorer Baudelin, un grand garçon pâle qui avait dû quitter la Sûreté, non pour malhonnêteté ou indélicatesse, mais parce qu'il

apportait plus d'énergie et d'astuce à se porter
malade qu'à assurer son service.

— Un autre.

— Falconet.

Celui-là avait passé la cinquantaine et on l'avait
prié de devancer l'âge de la retraite parce qu'il s'était
mis à boire et qu'il était devenu impossible de compter sur lui.

— Un autre.

— Le petit Valencourt.

— Trop petit.

Contrairement à ce qu'ils avaient pensé en commençant, ils ne trouvaient que quelques noms et,
chaque fois, après s'être représenté la silhouette de
l'homme, Maigret hochait la tête.

— Ça ne colle toujours pas. J'ai besoin d'un type
corpulent, presque aussi corpulent que moi.

— Fischer.

On entendit un éclat de rire général, car celui-là
pesait au moins cent vingt kilos.

— Merci ! grogna Maigret.

Il resta encore un certain temps parmi eux, finit
par se lever en soupirant.

— Lucas ! Veux-tu téléphoner rue des Saussaies et
m'appeler Catroux à l'appareil ?

Maintenant qu'il ne s'occupait plus que d'inspecteurs ayant quitté la Sûreté, il n'avait plus le sentiment de demander à son ami de trahir le service.
Catroux, qui était depuis vingt ans rue des Saussaies,
était mieux placé que les gens de la P.J. pour
répondre à sa question.

On sentait que le commissaire avait son idée,
qu'elle était encore vague, que sans doute elle ne se
tenait pas de bout en bout. A son air faussement
bourru, à ses gros yeux qui se fixaient sur les gens

sans les voir, on n'en comprenait pas moins qu'il
savait à présent dans quelle direction chercher.

Il s'efforçait toujours de retrouver ce nom que,
tout à l'heure, il avait eu sur le bout de la langue.
Lucas téléphonait, parlait familièrement à celui qu'il
avait au bout du fil et qui devait être un camarade.

— Catroux n'est pas là, patron.

— Tu ne vas pas m'annoncer qu'il est en mission
à l'autre bout de la France ?

— Non. Il est malade.

— A l'hôpital ?

— Chez lui.

— Tu as demandé son adresse ?

— J'ai cru que vous la connaissiez.

Ils étaient bons amis, en effet, Catroux et lui.
Cependant ils n'étaient jamais allés l'un chez l'autre.
Maigret se souvenait seulement qu'une fois il avait
déposé son collègue à sa porte, boulevard des Bati-
gnolles, vers le haut, à gauche, et il se rappelait un
restaurant à droite de la porte.

— La photo de Piquemal est parue ?

— En seconde page.

— Pas de téléphones à son sujet ?

— Pas encore.

Il passa par son bureau, ouvrit quelques lettres,
debout, porta à Torrence des papiers qui le regardaient et enfin descendit dans la cour où il hésita à
utiliser une des autos de la P.J. En fin de compte, il
préféra un taxi. Bien que sa visite à Catroux fût
parfaitement innocente, il jugeait plus prudent de ne
pas faire stationner une voiture du quai des Orfèvres
à sa porte.

D'abord, il se trompa d'immeuble, pour la raison
qu'il existait maintenant deux restaurants à cinquante
mètres l'un de l'autre. Il demanda à la concierge :

— M. Catroux ?

— Au deuxième, à droite. L'ascenseur est en réparation.

Il sonna. Il ne se souvenait pas de Mme Catroux, qui vint lui ouvrir la porte et qui, elle, le reconnut tout de suite.

— Entrez, monsieur Maigret.

— Votre mari est au lit ?

— Non. Dans son fauteuil. Ce n'est qu'une mauvaise grippe. D'habitude, il en fait une au début de chaque hiver. Cette fois-ci, cela lui prend à la fin.

Aux murs on voyait des portraits de deux enfants, un garçon et une fille, à tous les âges. Non seulement tous les deux étaient aujourd'hui mariés, mais des photographies de petits-enfants commençaient à allonger la collection.

— Maigret ? questionna la voix joyeuse de Catroux avant que le commissaire eût atteint la porte de la pièce où il se tenait.

Ce n'était pas un salon, mais une vaste pièce où on sentait que se déroulait la plus grande partie de la vie de la maison. Catroux, enveloppé dans une épaisse robe de chambre, était assis près de la fenêtre, des journaux sur les genoux, d'autres sur une chaise à côté de lui, un bol de tisane sur un guéridon. Il tenait une cigarette à la main.

— On te laisse fumer ?

— Chut ! Ne te mets pas du côté de ma femme. Juste quelques bouffées de temps en temps, pour me passer le goût.

Il était enroué et ses yeux restaient fiévreux.

— Enlève ton pardessus. Il doit faire très chaud ici. Ma femme tient à ce que je transpire. Assieds-toi.

— Vous prendrez quelque chose, monsieur Maigret ? questionnait celle-ci.

C'était presque une vieille femme et le commissaire en était surpris. Catroux et lui avaient à peu près le même âge. Il lui semblait que sa femme à lui paraissait beaucoup plus jeune.

— Mais oui, Isabelle. N'attends pas sa réponse et sors le cruchon de vieux calvados.

Il y eut, entre les deux hommes, un silence embarrassé. Catroux savait évidemment que son collègue de la P.J. n'était pas monté chez lui pour prendre des nouvelles de sa santé et s'il s'attendait peut-être à des questions plus embarrassantes que celles que Maigret avait en tête.

— N'aie pas peur, vieux. Je n'ai aucune envie de te mettre dans le pétrin.

L'autre, alors, jetait un regard à la première page du journal avec l'air de dire :

« C'est à ce sujet-là, hein ? »

Maigret attendait qu'on lui eût servi son verre de calvados.

— Et moi ? protestait son ami.

— Tu n'y as pas droit.

— Le docteur n'en a pas parlé.

— Je n'ai pas besoin qu'il en parle pour savoir.

— Juste une goutte, pour me donner l'illusion ?

Elle lui en servit un fond de verre et, comme Mme Maigret l'aurait fait, disparut discrètement.

— J'ai une idée de derrière la tête, avoua Maigret. Tout à l'heure, avec mes inspecteurs, nous avons essayé de dresser une liste des gens qui ont travaillé chez vous et qui ont été mis à la porte.

Catroux regardait toujours le journal, essayant de lier ce que Maigret lui disait avec ce qu'il venait de lire.

— Mis à la porte pourquoi ?

— Pour n'importe quoi. Tu sais de quoi je parle. Cela arrive chez nous aussi, moins souvent parce que nous sommes moins nombreux.

Catroux sourit, taquin.

— Tu penses ça ?

— Et aussi, peut-être, parce que nous nous occupons de moins de sortes de choses. Du coup, la tentation est moins forte. Tout à l'heure, nous nous sommes creusé la tête mais n'avons trouvé que quelques noms.

— Lesquels ?

— Baudelin, Falconet, Valencourt, Fischer...

— C'est tout ?

— A peu près. J'ai préféré venir te voir. Ce n'est pas dans cette catégorie-là que je cherche. C'est dans ceux qui ont mal tourné.

— Genre Labat ?

N'était-ce pas curieux que Catroux prononçât justement ce nom-là ? Ne pouvait-on croire qu'il le faisait exprès pour renseigner Maigret comme par inadvertance ?

— J'y ai pensé. Il est probablement dans le coup. Ce n'est cependant pas celui-là que je cherche.

— Tu as un nom en tête ?

— Un nom et un visage. On m'a fourni un signalement. Dès le début, cela m'a rappelé quelqu'un. Depuis...

— Quel signalement ? Nous irons plus vite que si je te fournis toute une liste. D'autant plus que je n'ai pas tous les noms en tête, moi non plus.

— D'abord, les gens, dès le premier coup d'œil, l'ont pris pour un policier.

— Cela peut s'appliquer à beaucoup.

— Age moyen. Corpulence un peu au-dessus de la moyenne. Légèrement moins gros que moi.

Catroux avait l'air d'évaluer l'embonpoint de son interlocuteur.

— Ou je me trompe fort, ou il doit continuer à faire des enquêtes, pour son compte ou pour le compte de certaines personnes.

— Une agence de police privée ?

— Peut-être. Ce n'est pas indispensable qu'il ait son nom sur la porte d'un bureau, ni qu'il mette des annonces dans les journaux.

— On en compte plusieurs, y compris d'anciens chefs fort honorables qui, atteints par la limite d'âge, ont ouvert une agence. Louis Canonge, par exemple. Et Cadet, qui a été mon patron.

— De ceux-là, nous en avons aussi. Je parle de l'autre catégorie.

— Ton signalement n'est pas plus complet ?

— Il fume le cigare.

Aussitôt, Maigret vit que son interlocuteur pensait à un nom. Son front s'était plissé. On lisait une certaine contrariété sur son visage.

— Cela te dit quelque chose ?

— Oui.

— Qui ?

— Une crapule.

— C'est une crapule que je cherche.

— Une crapule sans envergure, mais dangereuse.

— Pourquoi ?

— D'abord, ces crapules-là sont toujours dangereuses. Ensuite, il passe pour faire les basses besognes de certains politiciens.

— Cela colle toujours.

— Tu crois qu'il est mêlé à ton histoire ?

— S'il répond au signalement que je t'ai donné, s'il fume le cigare, s'il tripote dans la politique, il y a des chances qu'il soit mon homme. Tu ne veux pas dire...

Soudain, Maigret avait un visage en tête, une face assez large, des yeux bouffis, de grosses lèvres déformées par un mégot.

— Attends ! Cela me revient. C'est...

Mais le nom lui échappait toujours.

— Benoît, souffla Catroux. Eugène Benoît. Il a ouvert une officine de police privée boulevard Saint-Martin, dans un entresol au-dessus d'une horlogerie. Son nom est sur la vitre. Je crois que la porte est plus souvent fermée qu'ouverte, car il constitue à lui seul tout le personnel de l'agence.

C'était, en effet, l'homme dont le commissaire essayait de se souvenir depuis vingt-quatre heures.

— Je suppose qu'il ne doit pas être facile de se procurer sa photographie ?

Catroux réfléchit.

— Cela dépend de la date exacte à laquelle il a quitté le service. C'était...

Il fit des calculs à mi-voix, appela :

— Isabelle !

Celle-ci, qui n'était pas loin, accourut.

— Cherche, dans le rayon du bas de la bibliothèque, un annuaire de la Sûreté. Il n'y en a qu'un, qui date de quelques années. Il contient deux ou trois cents photos.

Sa femme mit la main dessus et il le feuilleta, désigna du doigt son propre portrait, ne trouva ce qu'il cherchait que dans les dernières pages.

— Tiens ! Le voilà. Il a quelques années de plus, mais il n'a pas tellement changé. Pour ce qui est de l'embonpoint, je l'ai toujours connu gras.

Maigret le reconnaissait aussi, car il lui était arrivé de le rencontrer.

— Cela ne te fait rien que je découpe sa photo ?

— Je t'en prie. Apporte des ciseaux, Isabelle.

Maigret glissa le bout de papier glacé dans son portefeuille, se leva.

— Pressé ?

— Assez, oui. Je crois d'ailleurs que tu préfères que je ne te parle pas trop de cette affaire-là.

L'autre comprit. Tant que Maigret ne connaissait pas le rôle exact joué par la Sûreté, il était plus sain pour Catroux que son collègue lui en dise le moins possible.

— Tu n'as pas peur ?

— Pas trop.

— Tu crois que Point... ?

— Je suis persuadé qu'on essaie de lui faire jouer le rôle de bouc émissaire.

— Un autre verre ?

— Non. Merci. Meilleure santé.

Mme Catroux le reconduisit à la porte et, en bas, il prit un autre taxi pour se faire conduire rue Vaneau. C'était au petit bonheur qu'il choisissait cette adresse-là. Il frappa à la loge de la concierge. Celle-ci le reconnut.

— Excusez-moi de vous déranger encore une fois. J'aimerais que vous regardiez attentivement une photographie et que vous me disiez si c'est bien l'homme qui est monté chez Mlle Blanche. Prenez votre temps.

Ce ne fut pas nécessaire. Sans hésiter, elle secoua la tête.

— Certainement pas.

— Vous êtes sûre ?

— Tout à fait.

— Même si la photo a été prise il y a quelques années et si l'homme a changé ?

— Même s'il portait une fausse barbe, j'affirmerais que ce n'est pas lui.

Il lui lança un coup d'œil en dessous, car un instant l'idée lui vint que c'était peut-être une réponse qu'on lui avait inspirée. Mais non ! On la sentait sincère.

— Je vous remercie, soupira-t-il en glissant son portefeuille dans sa poche.

C'était un coup dur. Il avait eu la quasi-certitude qu'il était sur la bonne piste et, dès la première expérience qu'il tentait, celle-ci s'écroulait.

Son taxi l'attendait et, parce que c'était le plus près, il se fit conduire rue Jacob, entra dans le bistrot où Piquemal avait l'habitude de prendre son petit déjeuner. A cette heure-ci, il n'y avait presque personne.

— Vous voulez jeter un coup d'œil à cette photo, patron ?

Il osait à peine regarder celui-ci, tant il craignait sa réponse.

— C'est bien lui. Sauf qu'il m'a paru un peu plus âgé.

— C'est l'homme qui a accosté M. Piquemal et est sorti de chez vous avec lui ?

— C'est lui.

— Vous n'avez aucun doute ?

— Aucun.

— Je vous remercie.

— Vous ne prenez rien ?

— Pas maintenant, merci. Je reviendrai.

Ce témoignage-ci changeait tout. Jusqu'à présent, Maigret avait supposé que le même individu s'était présenté dans les différents endroits, chez Mlle Blanche, au petit bar de Piquemal, à l'*Hôtel du Berry*, chez la veuve du professeur et boulevard Pasteur.

Tout à coup, il découvrait qu'ils étaient au moins deux.

La visite suivante fut pour Mme Calame, qu'il trouva occupée à lire les journaux.

— J'espère que vous allez retrouver le rapport de mon mari ? Je comprends à présent pourquoi il était si tourmenté pendant ses dernières années. J'ai toujours eu horreur de cette sale politique !

Elle l'observa avec méfiance, se disant que c'était peut-être au nom de cette « sale politique » que Maigret venait la voir.

— Qu'est-ce que vous voulez, aujourd'hui ?

Il lui tendit la photographie.

Elle l'examina avec attention, leva la tête, étonnée.

— Je devrais la reconnaître ?

— Pas nécessairement. Je me demandais si ce n'est pas l'homme qui vous a rendu visite deux ou trois jours après la visite de Piquemal.

— Je ne l'ai jamais vu.

— Aucune possibilité d'erreur ?

— Aucune. C'est peut-être le même genre d'homme, mais je suis sûre que ce n'est pas lui qui est venu ici.

— Je vous remercie.

— Qu'est-il arrivé à Piquemal ? Vous croyez qu'ils l'ont tué ?

— Pourquoi ?

— Je ne sais pas. S'ils veulent coûte que coûte éviter que le rapport de mon mari voie le jour, il faudra bien qu'ils suppriment ceux qui le connaissent.

— Ils n'ont pas supprimé votre mari.

La réponse la désarçonna. Elle crut devoir défendre la mémoire de Calame.

— Mon mari ne connaissait rien à la politique. C'était un savant. Il a fait son devoir en rédigeant son rapport et en le remettant à qui de droit.

— Je suis persuadé qu'il a fait son devoir.

Il préféra s'en aller avant qu'elle l'oblige à discuter la question plus à fond. Le chauffeur de taxi le regarda, interrogateur.

— Maintenant ?

— A l'*Hôtel du Berry*.

Il y trouva deux journalistes qui essayaient d'obtenir des renseignements sur Piquemal. Ils se précipitèrent vers Maigret, mais celui-ci hocha la tête.

— Rien à vous dire, mes enfants. Juste une vérification de routine. Je vous promets que...

— Vous espérez retrouver Piquemal vivant ?

Eux aussi !

Il les laissa dans le corridor pendant qu'il montrait la photographie au patron.

— Qu'est-ce que vous voulez que je fasse de ça ?

— Me dire si c'est l'homme qui est venu vous parler de Piquemal.

— Lequel des deux ?

— Pas mon inspecteur, qui a loué une chambre, mais l'autre.

— Non.

Il était catégorique. Jusqu'ici, Benoît était le personnage qui était parti du petit bar en compagnie de Piquemal, mais il ne s'était présenté nulle part ailleurs.

— Je vous remercie.

Il se jeta dans la voiture.

— Roulez toujours...

En chemin, seulement, une fois loin des journalistes, il donna l'adresse du boulevard Pasteur. Il ne s'arrêta pas chez la concierge, monta directement au troisième. On ne répondit pas à la sonnerie électrique et il dut redescendre.

— Mme Gaudry n'est pas chez elle ?

— Elle est sortie il y a une demi-heure avec son fils.

— Vous ne savez pas quand elle rentrera ?

— Elle n'avait pas son chapeau. Elle doit faire des courses dans le quartier. Ce ne sera pas long.

Plutôt que d'attendre sur le trottoir, il se dirigea vers le bar où il était entré le matin, appela à tout hasard la P.J. Ce fut Lucas qui, du bureau des inspecteurs, répondit.

— Rien de nouveau ?

— Deux coups de téléphone au sujet de Piquemal. Le premier d'un chauffeur de taxi qui prétend l'avoir conduit hier à la gare du Nord. L'autre d'une caissière de cinéma qui lui aurait vendu un ticket hier au soir. Je fais vérifier.

— Lapointe est rentré ?

— Il y a quelques minutes. Il n'a pas encore commencé à taper.

— Veux-tu me le passer ?

Et, à Lapointe :

— Alors ? Les photographes ?

— Ils y étaient, patron, et ils n'ont pas arrêté de nous mitrailler pendant que Mascoulin parlait.

— Où t'a-t-il reçu ?

— Dans la Salle des Colonnes. Autant dire dans le hall de la gare Saint-Lazare ! Les huissiers étaient obligés de repousser les curieux pour que nous puissions respirer.

— Son secrétaire était avec lui ?

— Je ne sais pas. Je ne le connais pas. On ne me l'a pas présenté.

— C'est long ?

— Cela fera environ trois pages de dactylographie. Des journalistes ont pris la sténo en même temps que moi.

Cela signifiait que la déclaration de Mascoulin paraîtrait le soir même dans la dernière édition des journaux.

— Il m'a recommandé de la lui porter à signer.

— Qu'as-tu répondu ?

— Que cela ne me regardait pas. Que j'attendrais vos ordres.

— Tu sais s'il y a séance de nuit à la Chambre ?

— Je ne crois pas. J'ai entendu dire que ce serait fini vers cinq heures.

— Tape ton papier et attends que j'arrive.

La petite Mme Gaudry n'était pas rentrée. Il fit les cent pas sur le trottoir et il la vit revenir, un sac à provisions au bras, son fils trottinant à côté d'elle. Elle le reconnut.

— C'est moi que vous venez voir ?

— Juste un instant.

— Montez. J'étais en train de faire mon marché.

— Ce n'est probablement pas la peine que je monte.

Le gamin la tirait par le bras, questionnait :

— Qui c'est ? Pourquoi est-ce qu'il veut te parler ?

— Reste tranquille. Il veut seulement me demander un renseignement.

— Quel renseignement ?

Maigret avait sorti le portrait de sa poche.

— Vous le reconnaissez ?

Elle parvint à se dégager, se pencha vers le bout de papier glacé, prononça spontanément :

— C'est lui, oui.

De sorte qu'on retrouvait Eugène Benoît, l'homme au cigare, dans deux endroits : boulevard Pasteur, où il s'était probablement emparé du rapport Calame, et dans le bar de la rue Jacob, où il avait accosté Piquemal avec qui on l'avait vu s'éloigner dans la direction opposée à celle de l'Ecole des Ponts et Chaussées.

— Vous l'avez retrouvé ? demandait Mme Gaudry.

— Pas encore. Cela ne tardera sans doute plus.

Il héla un autre taxi pour se faire conduire boulevard Saint-Martin, regrettant de ne pas avoir pris une auto de la P.J., car il lui faudrait encore discuter sa note de frais avec le comptable.

L'immeuble était vieux. La partie inférieure des vitres, à l'entresol, était dépolie et on y lisait en lettres noires les mots :

Agence Benoît
Filatures en tout genre.

Des deux côtés de la voûte des plaques annonçaient un dentiste, un commerce de fleurs artificielles, une masseuse suédoise, d'autres professions encore, dont certaines assez inattendues. L'escalier, à gauche, était sombre et poussiéreux. Le nom de Benoît figurait à nouveau sur une plaque d'émail fixée à une porte.

Il frappa, sachant déjà qu'on ne lui répondrait pas, car des prospectus dépassaient de dessous la porte. Après avoir attendu un moment, par conscience, il descendit et finit par trouver la loge au fond de la cour. Elle n'était pas tenue par une femme mais par un cordonnier dont c'était en même temps l'échoppe.

— Il y a longtemps que vous n'avez pas vu M. Benoît ?

— Je ne l'ai pas vu aujourd'hui, si c'est ça que vous voulez savoir.

— Et hier ?

— Je ne sais pas. Je ne crois pas. Je n'ai pas fait attention.

— Et avant-hier ?

— Avant-hier non plus.

Il avait l'air de se moquer du monde et Maigret lui mit sa médaille sous le nez.

— Je vous ai dit ce que je sais. Il n'y a pas d'offense. Les affaires des locataires ne me regardent pas.

— Vous connaissez son adresse personnelle ?

— Elle doit être dans le carnet.

Il se leva à regret, alla chercher, dans un buffet de cuisine, une sorte de registre crasseux dont il feuilleta les pages de ses doigts noircis de poix.

— La dernière que j'ai, c'est à l'*Hôtel Beaumarchais*, boulevard Beaumarchais.

Ce n'était pas loin. Maigret y alla à pied.

— Il a déménagé il y a trois semaines, lui annonça-t-on. Il n'est resté ici que deux mois.

On l'envoyait cette fois dans un meublé plutôt louche de la rue Saint-Denis devant lequel stationnait une fille énorme qui ouvrit la bouche pour lui adresser la parole, mais dut le reconnaître au dernier moment et haussa les épaules.

— Il a la chambre 19. Il n'est pas chez lui.

— Il y a passé la nuit dernière ?

— Emma ! Tu as fait la chambre de M. Benoît ce matin ?

Une tête se pencha par-dessus la rampe au premier étage.

— Qui est-ce qui le demande ?

— Ne t'occupe pas de ça. Réponds.

— Non. Il n'a pas couché ici.

— Et la nuit d'avant ?

— Non plus.

Maigret demanda la clef de la chambre. La fille qui avait répondu du premier étage le suivit jusqu'au troisième sous prétexte de lui montrer le chemin. Les portes étant numérotées, il n'avait pas besoin d'elle. Il lui posa néanmoins quelques questions.

— Il vit seul ?

— Vous voulez savoir s'il couche seul ?

— Oui.

— Assez souvent.

— Il a une amie régulière ?

— Il en a beaucoup.

— Quel genre ?

— Le genre qui accepte de venir ici.

— Souvent les mêmes ?

— J'ai déjà vu deux ou trois fois la même tête.

— Il les pique dans la rue ?

— Je ne suis pas là quand il les choisit.

— Voilà deux jours qu'il n'a pas mis les pieds à l'hôtel ?

— Deux ou trois. Je ne sais plus au juste.

— Il reçoit parfois des hommes ?

— Si je comprends bien ce que vous voulez dire, ce n'est ni son genre, ni celui de la maison. Il existe un hôtel pour ces gens-là dans le bas de la rue.

La chambre n'apprit pas grand-chose à Maigret. C'était la chambre type de ce genre d'hôtels, avec son

lit de fer, sa vieille commode, son fauteuil à moitié
défoncé et sa toilette à eau courante chaude et froide.
Les tiroirs contenaient du linge, une boîte de cigares
entamée, une montre qui ne marchait plus, des hameçons de différentes tailles dans une pochette en cello-
phane, mais pas un seul papier intéressant. Dans une
valise à soufflet, il ne trouva que des chaussures et
des chemises sales.

— Il lui arrive de ne pas rentrer coucher ?

— Plus souvent qu'à son tour. Et, tous les same-
dis, il s'en va jusqu'au lundi à la campagne.

Maigret, cette fois, se fit reconduire au quai des
Orfèvres, où Lapointe avait depuis longtemps fini de
taper la déposition Mascoulin.

— Téléphone à la Chambre pour savoir si les
députés y sont encore.

— Je lui dis que vous voulez lui parler ?

— Non. Ne fais allusion ni à moi, ni à la P.J.

Quand il se tourna vers Lucas, celui-ci lui adressa
un signe négatif.

— Il y a eu un autre coup de téléphone depuis les
deux premiers. On a vérifié. Torrence est encore en
route. Les pistes sont fausses.

— Il ne s'agit pas de Piquemal ?

— Non. Le chauffeur de taxi était le plus sûr de
lui, mais on a retrouvé son client dans l'immeuble où
il l'a chargé.

Il y en aurait de nouveaux, surtout le lendemain au
courrier.

— La séance de la Chambre est terminée depuis
une demi-heure, annonçait Lapointe. Il s'agissait
seulement de voter au sujet...

— Cela m'est égal ce qu'ils ont voté.

Il savait que Mascoulin habitait rue d'Antin, à
deux pas de l'Opéra.

— Tu fais quelque chose ?

— Rien d'important.

— Dans ce cas, viens avec moi et emporte la déposition.

Maigret ne conduisait jamais. Il avait essayé, quand on avait fourni la P.J. d'un certain nombre de petites autos noires, et il lui était arrivé, plongé dans ses réflexions, d'oublier qu'il était au volant. Deux ou trois fois, il n'avait pensé à ses freins qu'à la dernière minute et il n'avait pas insisté.

— On prend la voiture ?

— Oui.

C'était un peu comme pour se faire pardonner par la comptabilité tous ses taxis de l'après-midi.

— Vous savez le numéro, rue d'Antin ?

— Non. C'est la plus vieille maison.

L'immeuble était respectable, vieillot mais en excellent état. Maigret et son compagnon s'arrêtèrent devant la loge qui avait l'air d'un salon de petits bourgeois et qui sentait l'encaustique et le velours.

— M. Mascoulin.

— Vous avez rendez-vous ?

Maigret dit oui à tout hasard. Au même moment, la femme en noir le regardait, puis regardait la première page du journal et le regardait à nouveau.

— Je suppose que je dois vous laisser monter monsieur Maigret. C'est au premier à gauche.

— Il y a longtemps qu'il habite ici ?

— Cela fera onze ans en décembre.

— Son secrétaire vit avec lui ?

Elle eut un petit rire.

— Certainement pas.

Il eut l'impression qu'elle avait deviné sa pensée.

— Ils travaillent tard le soir ?

— Souvent. Presque toujours. Je crois que

M. Mascoulin est un des hommes les plus occupés de Paris. Rien que pour répondre au courrier qu'il reçoit ici et à la Chambre.

Maigret faillit lui montrer la photographie de Benoît et lui demander si elle l'avait déjà vu, mais elle en parlerait sans doute à son locataire et Maigret préférait ne pas encore se découvrir.

— Vous êtes reliée à son appartement par un téléphone privé ?

— Comment le savez-vous ?

Ce n'était pas difficile à deviner car, outre l'appareil ordinaire, on voyait, au mur, un appareil téléphonique plus léger. Mascoulin était prudent.

Elle allait donc l'avertir de l'arrivée de Maigret dès que celui-ci et Lapointe seraient dans l'escalier. Cela n'avait pas d'importance. Il aurait pu l'en empêcher en laissant Lapointe dans la loge.

On ne répondit pas tout de suite à son coup de sonnette et, un peu plus tard, ce fut Mascoulin en personne qui vint ouvrir, sans se donner la peine de jouer la surprise.

— J'ai bien pensé que vous viendriez vous-même et que vous choisiriez de venir ici. Entrez.

Dès l'antichambre, des piles de journaux encombraient le plancher, des revues, des comptes rendus des débats parlementaires. Il y en avait d'autres dans une pièce qui servait de salon et qui n'était guère plus engageante qu'une salle d'attente de dentiste.

Mascoulin, de toute évidence, n'était intéressé ni par le luxe ni par le confort.

— Je suppose que vous désirez voir mon bureau ?

Il y avait quelque chose d'insultant dans son ironie, dans sa façon d'avoir l'air de deviner les intentions de son interlocuteur, mais le commissaire gardait son calme.

Il se contenta de riposter :

— Je ne suis pas une admiratrice qui vient vous demander un autographe.

— Par ici.

Ils franchirent une double porte matelassée, se trouvèrent dans un bureau spacieux dont les deux fenêtres donnaient sur la rue. Des classeurs verts couvraient deux des murs. Ailleurs s'alignaient les livres de droit que l'on trouve chez tous les avocats et enfin, par terre à nouveau, des journaux, des dossiers autant que dans un ministère.

— Je vous présente René Falk, mon secrétaire.

Celui-ci n'avait pas plus de vingt-cinq ans ; il était blond, frêle, avec une mine boudeuse étrangement enfantine.

— Enchanté, murmurait-il en regardant Maigret de la même façon que Mlle Blanche l'avait regardé la première fois.

Comme elle, il devait être un fanatique de son patron et considérait tout étranger comme un ennemi.

— Vous avez le document ? En plusieurs exemplaires, je suppose ?

— Trois exemplaires, deux que je vous demande de signer, puisque vous en avez manifesté l'intention, le troisième pour vos archives ou pour tout usage qu'il vous plaira.

Mascoulin prit les documents, en tendit un à René Falk qui se mit à lire en même temps que lui.

Assis à son bureau, il saisit une plume, ajouta une virgule par-ci par-là, supprima un mot quelque part en murmurant à l'adresse de Lapointe :

— J'espère que cela ne vous offense pas ?

Quand il arriva à la dernière ligne, il signa, reporta ses corrections sur la seconde copie qu'il signa à son tour.

Maigret tendit la main, mais Mascoulin ne lui remit pas les feuilles. Il ne reportait pas les corrections sur la troisième copie non plus.

— Correct ? demandait-il à son secrétaire.

— Je crois, oui.

— Passe-les à la machine.

Il lançait au commissaire un coup d'œil narquois.

— Un homme qui a autant d'ennemis que moi ne saurait prendre trop de précautions, dit-il. Surtout quand tant de gens ont intérêt à ce que certain document ne voie pas le jour.

Falk poussait une porte qu'il ne refermait pas derrière lui et on découvrait une pièce étroite, une ancienne cuisine ou une ancienne salle de bains où, sur une table de bois blanc, se trouvait un appareil à photostater.

Le secrétaire poussait des boutons. Un léger bourdonnement se faisait entendre dans la machine et il y introduisait les feuilles une à une, en même temps que d'autres feuilles d'un papier spécial. Maigret, qui connaissait le système, mais qui avait rarement vu un appareil de ce genre chez un particulier, suivait l'opération avec une apparente indifférence.

— Belle invention, n'est-ce pas ? disait Mascoulin avec toujours un vilain pli des lèvres. Des gens n'hésitent pas à contester un carbone. Il est impossible de renier un photostat.

Un vague sourire éclairait le visage de Maigret, et il n'échappa pas au député.

— A quoi pensez-vous ?

— Je me demandais si, parmi les personnes qui

ont eu récemment le rapport Calame entre les mains, il s'en trouve une qui a eu l'idée de le photostater.

Ce n'était pas par inadvertance que Mascoulin lui avait laissé voir l'appareil. Falk aurait pu disparaître un moment avec les documents sans que le commissaire se doutât de ce qu'il allait faire dans la pièce voisine.

Les feuilles sortaient par une fente et le secrétaire les étalait, humides, sur la table.

— Ce serait un bon tour à jouer à ceux qui sont tellement intéressés à étouffer l'affaire, n'est-ce pas ? ricanait Mascoulin.

Maigret le regarda en silence, de son regard le plus neutre et le plus lourd à la fois.

— Un bon tour, oui, répéta-t-il.

Il était impossible de deviner qu'il en avait froid dans le dos.

8

LE VOYAGE A SEINEPORT

QUAND ils atteignirent le boulevard Saint-Germain, il était six heures et demie et la cour du ministère était vide. Comme Maigret et Lapointe la traversaient en direction de l'escalier conduisant chez le ministre, une voix fit derrière eux :

— Hep !... Vous deux, là-bas !... Où allez-vous ?

Le gardien ne les avait pas vu passer. Ils s'immobilisèrent, tournés vers lui, au milieu de la cour, et il se dirigea vers eux clopin-clopant, jeta un coup d'œil à la médaille que Maigret lui tendait, puis à son visage.

— Je vous demande pardon. J'ai vu votre photo tout à l'heure.

— Vous avez bien fait. Tant que vous êtes ici, dites-moi donc...

Cela devenait une habitude de sortir la photo de son portefeuille.

— Vous avez déjà vu cette tête-ci ?

L'homme, anxieux de ne pas commettre une bévue de plus, l'examina avec attention, après avoir mis des lunettes à verres épais et à monture d'acier. Il ne disait ni oui ni non. On avait l'impression qu'avant de se commettre il avait envie de demander de qui il s'agissait, mais n'osait pas.

— Il est un peu plus âgé maintenant, n'est-ce pas ?

— De quelques années.

— Il a une auto à deux places, noire, d'un vieux modèle ?

— C'est possible.

— Alors, c'est probablement lui que j'ai attrapé parce qu'il avait rangé sa voiture dans la cour à l'emplacement réservé aux autos du ministère.

— Quand ?

— Je ne me rappelle pas le jour. Vers le début de la semaine.

— Il n'a pas dit son nom ?

— Il a haussé les épaules, et est allé parquer la voiture de l'autre côté de la cour.

— Il est monté par le grand escalier ?

— Oui.

— Essayez, pendant que nous sommes là-haut, de vous rappeler le jour.

Dans l'antichambre, au premier, l'huissier était encore à son poste, à lire les journaux. Maigret lui montra la photographie aussi. Il hocha la tête.

— Quand serait-il venu ? demanda-t-il.

— Vers le début de la semaine.

— Je n'étais pas ici. J'ai dû prendre quatre jours de congé à cause de la mort de ma femme. Il faudra demander à Joseph. Il sera ici la semaine prochaine. Je vous annonce à monsieur le ministre ?

L'instant d'après, Auguste Point ouvrait lui-même la porte de son cabinet. Il paraissait fatigué, mais calme. Il fit entrer Maigret et Lapointe sans poser de questions. Sa secrétaire, Mlle Blanche, et son chef de cabinet se trouvaient tous les deux dans le bureau. La radio ne devait pas encore faire partie du matériel des ministères, car c'était une petite radio portative, appartenant sans doute à Point, qu'on voyait sur un guéridon et que les trois personnages devaient être occupés à écouter quand l'huissier les avait interrompus.

« ... *la séance a été brève, exclusivement consacrée à des affaires courantes, mais les couloirs n'ont pas cessé d'être animés pendant toute l'après-midi. Les bruits les plus divers ont couru. On parle, pour lundi, d'une interpellation sensationnelle, mais on ignore encore...* »

— Coupez ! dit Point à sa secrétaire.

Fleury voulut se diriger vers une des portes et Maigret le retint.

— Vous n'êtes pas de trop, monsieur Fleury. Vous non plus, mademoiselle.

Point le suivait des yeux, inquiet, car il était difficile de deviner ce que le commissaire était venu faire. D'autre part, il avait la mine d'un homme qui suit son idée et qui est tellement pris par elle qu'il en oublie le reste.

On aurait dit qu'il dressait mentalement un plan du bureau. Il regardait les murs, les portes.

— Vous permettez, monsieur le ministre, que je pose deux ou trois questions à vos collaborateurs ?

C'est à Fleury qu'il s'adressa d'abord.

— Je suppose que, lors de la visite de Piquemal, vous vous trouviez dans votre bureau ?

— J'ignorais que...

— D'accord. Mais, maintenant, vous savez. Où étiez-vous à cette heure-là ?

Il désigna une porte à deux battants qui était entrouverte.

— C'est votre bureau ?

— Oui.

Le commissaire alla y jeter un coup d'œil.

— Vous étiez seul ?

— Je suis incapable de vous répondre. Il est rare que je reste longtemps seul. Les visiteurs se succèdent toute la journée. Le ministre en reçoit une partie, les plus importants, et je m'occupe des autres.

Maigret alla ouvrir une porte qui donnait directement du bureau du chef de cabinet dans l'antichambre.

— C'est par ici qu'ils passent ?

— D'habitude. Sauf ceux que le ministre a reçus d'abord et qu'il conduit chez moi pour une raison quelconque.

Le téléphone sonnait. Point et Mlle Blanche se regardaient. Mlle Blanche décrochait.

— Non. Monsieur le ministre n'est pas ici...

Elle écoutait, le regard fixe. Elle aussi paraissait épuisée de fatigue.

— La même chose ? questionna Point quand elle eut raccroché.

Elle fit oui d'un battement de paupières.

— Il dit que son fils a été...

— Taisez-vous.

Il se tourna vers Maigret.

— Depuis midi, le téléphone ne cesse pour ainsi dire pas de sonner. J'ai pris quelques communications moi-même. La plupart disent la même chose.

— Si tu t'obstines à étouffer l'affaire de Clairfond, on aura ta peau !

« Il y a des variantes. Certains sont plus polis. Certains même disent leur nom et ceux-là sont des parents d'enfants tués au cours de la catastrophe. Une femme m'a crié, pathétique :

« — Vous n'allez quand même pas couvrir les assassins ! Si vous n'avez pas détruit le rapport, montrez-le, que toute la France sache... »

Il avait les yeux cernés, la peau grise de ceux qui ne dorment plus.

— Le président de mon comité électoral, à La Roche, un homme qui est l'ami de mon père et qui m'a vu en culottes courtes, m'a appelé tout à l'heure, presque tout de suite après que ma déclaration a été radiodiffusée. Il ne m'a pas accusé, mais j'ai senti qu'il doutait.

« — Ici, on ne comprend pas, fils, m'a-t-il dit d'une voix triste. On a connu tes parents et on croit te connaître. Même si tu dois les mettre tous dans le bain, il faut que tu dises ce que tu sais. »

— Vous le direz bientôt, répliqua Maigret.

Point leva vivement la tête, pas sûr d'avoir bien entendu, demanda, incrédule :

— Vous le pensez vraiment ?

— J'en ai maintenant la certitude.

Fleury était appuyé à une console à l'autre bout du bureau. Maigret tendit la photographie de Benoît au ministre, qui la regarda sans comprendre.

— Qui est-ce ?

— Vous ne le connaissez pas ?

— Son visage ne me rappelle rien.

— Il n'est pas venu vous voir ces temps-ci ?

— S'il est venu me voir, son nom figure sur le registre, dans l'antichambre.

— Voudriez-vous me montrer votre bureau, mademoiselle Blanche ?

Fleury, de loin, n'avait pas pu voir la photographie et Maigret remarqua qu'il se rongeait les ongles comme si c'était chez lui une habitude gardée de l'enfance.

La porte du bureau de la secrétaire, aussitôt après celui du chef de cabinet, était une porte à un seul battant.

— C'est ici que vous êtes venue quand Piquemal
est arrivé et que votre patron vous a demandé de le
laisser seul avec lui ?

Tendue, elle fit oui de la tête.

— Vous avez refermé la porte derrière vous ?

Même signe.

— Vous pourriez entendre ce qui se dit à côté ?

— Si je collais l'oreille à la porte et si on parlait
assez fort, c'est probable.

— Vous ne l'avez pas fait ?

— Non.

— Cela ne vous arrive jamais ?

Elle préféra ne pas répondre. Ecoutait-elle quand,
par exemple, Point recevait une femme qu'elle considérait comme jolie ou comme dangereuse ?

— Vous connaissez cet homme ?

C'est ce qu'elle attendait, car elle avait pu jeter un
coup d'œil à la photo pendant que le ministre la
regardait.

— Oui.

— Où l'avez-vous vu ?

Elle parla bas, afin que les autres ne puissent
entendre.

— Dans le bureau voisin.

Elle désignait du doigt la cloison qui les séparait
du bureau de Fleury.

— Quand ?

— Le jour de la visite de Piquemal.

— Après ?

— Non. Avant.

— Il était assis, debout ?

— Assis, le chapeau sur la tête, un cigare aux
lèvres. Je n'ai pas aimé la façon dont il me regardait.

— Vous ne l'avez pas revu ensuite ?

— Si. Après.

— Vous voulez dire qu'il était encore là quand Piquemal est parti, qu'il est donc resté dans le bureau voisin tout le temps de la visite ?

— Je suppose que oui. Il y était avant et après. Vous croyez que...

Elle voulait probablement lui parler de Fleury et il se contenta de faire :

— Chut !... Venez...

Quand il rentra dans le grand bureau, Point le regarda avec reproche, comme s'il en voulait à Maigret d'avoir harcelé sa secrétaire.

— Vous avez besoin de votre chef de cabinet ce soir, monsieur le ministre ?

— Non... Pourquoi ?...

— Parce que j'aimerais avoir un entretien avec lui.

— Ici ?

— Dans mon bureau, de préférence. Cela ne vous ennuie pas de nous accompagner, monsieur Fleury ?

— J'ai un rendez-vous pour dîner, mais, si c'est indispensable...

— Téléphonez donc pour le décommander.

Fleury le fit. Laissant la porte de son bureau ouverte, il appela le *Fouquet's*.

— Bob ?... Ici, Fleury... Est-ce que Jacqueline est arrivée ?... Pas encore ?... Tu es sûr ?... Quand elle viendra, veux-tu lui dire qu'elle commence à dîner sans moi ?... Oui... Je ne viendrai probablement pas dîner... Plus tard, oui... A tout à l'heure...

Lapointe le surveillait du coin de l'œil. Point, dérouté, regardait Maigret avec l'envie visible de lui demander des explications. On aurait dit que le commissaire ne s'en apercevait pas.

— Vous faites quelque chose ce soir, monsieur le ministre ?

— J'avais un banquet à présider, mais je me suis décommandé moi-même avant qu'on me décommande.

— Il se peut que je vous téléphone pour vous donner des nouvelles, vraisemblablement assez tard.

— Même si c'est au milieu de la nuit...

Fleury avait reparu, son manteau et son chapeau à la main, avec l'air d'un homme qui ne tient debout que par la force de l'habitude.

— Vous venez ? Tu viens, Lapointe ?

Ils descendirent tous les trois le grand escalier en silence, se dirigèrent vers l'auto qu'ils avaient laissée le long du trottoir.

— Montez... Au Quai, Lapointe...

Ils n'échangèrent pas un mot en chemin. Fleury ouvrit deux fois la bouche, mais ne posa pas de questions et il ne cessa de se ronger les ongles.

Dans l'escalier poussiéreux, Maigret le fit marcher devant lui, puis entrer le premier dans son bureau dont il alla refermer la fenêtre.

— Vous pouvez retirer votre pardessus. Mettez-vous à l'aise.

Il adressa un signe à Lapointe qui le rejoignit dans le couloir.

— Tu vas rester avec lui jusqu'à ce que je revienne. Ce sera long. Il se peut que tu en aies pour une partie de la nuit.

Lapointe rougit.

— Tu as un rendez-vous ?

— Cela ne fait rien.

— Tu peux téléphoner ?

— Oui.

— Si elle veut venir te tenir compagnie...

Lapointe fit non de la tête.

— Tu feras monter des sandwiches et du café de la brasserie. Ne quitte pas Fleury des yeux. Empêche-le de téléphoner à qui que ce soit. S'il te pose des questions, tu ne sais rien. Je tiens à ce qu'il macère dans son jus, tu comprends ?

C'était le traitement classique. Lapointe, qui avait pourtant participé à une bonne partie de l'enquête, ne voyait pas où son chef voulait en venir.

— Va lui tenir compagnie. N'oublie pas les sandwiches.

Il entra chez les inspecteurs et y trouva Janvier qui n'était pas encore parti.

— Tu n'as rien de spécial ce soir ?

— Non. Ma femme...

— T'attend ? Tu veux lui téléphoner ?

Il s'assit sur une des tables et décrocha un autre appareil, demanda le numéro de Catroux.

— Ici, Maigret... Excuse-moi de te déranger à nouveau... Un souvenir m'est revenu, tout à l'heure, grâce à des hameçons trouvés quelque part... Une des fois que j'ai rencontré Benoît, c'était un samedi, à la gare de Lyon, et il partait pour la pêche... Tu dis ?... C'est un pêcheur enragé ?... Tu ne sais pas où il a l'habitude d'aller pêcher... ?

Maigret, maintenant, était sûr de lui, se sentait sur la bonne route et il semblait que rien ne pût plus l'arrêter.

— ... Comment ?... Une bicoque quelque part ?... Tu n'as pas le moyen de savoir où ?... Oui... Tout de suite... Je reste à côté de l'appareil...

Janvier parlait toujours à sa femme, demandait des nouvelles de chacun des enfants, qui venaient lui dire bonsoir tour à tour.

— Bonsoir, Pierrot... Dors bien... Oui, je serai là

quand tu t'éveilleras... C'est toi, Monique ?... Ton
petit frère a été gentil ?...

Maigret attendit en soupirant. Quand Janvier rac-
crocha, il murmura :

— Il est possible que nous ayons une nuit agitée.
Cela me fait penser qu'il vaut mieux que je téléphone
à ma femme, moi aussi.

— Vous voulez que je demande le numéro ?

— J'attends d'abord une communication importante.

Catroux était en train de téléphoner à un collègue,
lui-même pêcheur, à qui il était arrivé d'accompagner
Benoît au bord de la rivière.

C'était à présent une question de chance. Le
collègue pouvait ne pas être chez lui. Il pouvait être
en mission loin de Paris. Le silence, dans le bureau,
dura une dizaine de minutes et Maigret finit par
soupirer :

— J'ai soif !

Au même moment, la sonnerie se faisait
entendre.

— Catroux ?

— Oui. Tu connais Seineport ?

— Un peu plus haut que Corbeil, près d'une
écluse ?

Maigret se souvenait d'une enquête, jadis...

— C'est ça. Un petit patelin, au bord de la Seine,
surtout fréquenté par les pêcheurs à la ligne. Benoît
possède une bicoque non loin du village, une
ancienne maison de garde, délabrée, qu'il a achetée
pour un morceau de pain il y a une dizaine
d'années.

— Je trouverai.

— Bonne chance !

Il n'oublia pas d'appeler sa femme, mais il n'avait

pas, lui, d'enfants pour venir lui souhaiter le bonsoir
au bout du fil.

— Tu viens ?

En passant, il entrouvrit la porte de son bureau.
Lapointe avait allumé la lampe à abat-jour vert et
était assis dans le fauteuil de Maigret. Il lisait un
journal tandis que Fleury, sur une chaise, les jambes
croisées, les traits figés, fermait à demi les yeux.

— A tout à l'heure, petit.

Le chef de cabinet tressaillit, se leva pour poser
une question, mais le commissaire avait déjà refermé
la porte.

— On prend la voiture ?

— Oui. Nous allons à Seineport, à une trentaine
de kilomètres.

— J'y suis allé autrefois avec vous.

— C'est vrai. Tu as faim ?

— Si nous devons rester longtemps...

— Arrête-nous à la *Brasserie Dauphine*.

Le garçon s'étonna de les voir entrer.

— Je n'ai plus besoin de vous porter les sandwiches et la bière que M. Lapointe a commandés
pour votre bureau ?

— Si. Mais, d'abord, sers-nous quelque chose à
boire. Qu'est-ce que tu prends, Janvier ?

— Je ne sais pas.

— Pernod ?

Maigret en avait envie, Janvier le savait, et il en
prit aussi.

— Prépare-nous deux bons sandwiches chacun.

— A quoi ?

— A n'importe quoi. Au pâté, s'il y en a.

Maigret paraissait l'homme le plus calme de la
terre.

— Nous sommes trop habitués aux affaires criminelles, murmura-t-il pour lui-même, son verre à la main.

Il n'avait pas besoin qu'on lui donne la réplique. Il se la donnait mentalement.

— Dans une affaire criminelle, il y a d'ordinaire un seul coupable, ou un groupe de coupables qui agissent de concert. En politique, c'est différent et, la preuve, c'est qu'on compte tant de partis à la Chambre.

Cette idée-là l'amusait.

— Des tas de gens portent un intérêt au rapport Calame, à des titres différents. Il n'y a pas seulement les hommes politiques que la publication du rapport mettrait en mauvaise posture. Il n'y a pas seulement Arthur Nicoud. Il y a ceux pour qui la possession du rapport constituerait un capital, puis ceux pour qui cela signifierait le pouvoir.

Les consommateurs étaient rares ce soir-là. Les lampes étaient allumées, l'atmosphère lourde comme avant un orage.

Ils mangèrent leurs sandwiches à la table habituelle de Maigret et cela rappela à celui-ci la table de Mascoulin au *Filet de Sole*. Ils avaient leur table l'un comme l'autre, à des endroits différents, dans des milieux encore plus différents.

— Café ?

— S'il vous plaît.

— Fine ?

— Non. Je conduis.

Maigret n'en prit pas non plus et, un peu plus tard, ils sortaient de Paris par la porte d'Italie et roulaient sur la route de Fontainebleau.

— C'est drôle de penser que, si Benoît avait fumé la pipe, au lieu de ces cigares qui empestent, notre tâche aurait été infiniment plus difficile.

Ils traversaient la banlieue. Puis ils n'eurent plus que de grands arbres aux deux côtés, des voitures aux phares allumés dans les deux sens. Beaucoup dépassaient la petite auto noire.

— Je suppose que je n'ai pas besoin de faire de vitesse ?

— Ce n'est pas la peine. Ou ils sont là, ou...

Il connaissait assez les hommes dans le genre de Benoît pour être capable de se mettre à leur place. Benoît n'avait pas grande imagination. Ce n'était qu'un petit margoulin à qui des petits tripotages étaient loin d'avoir rapporté la fortune.

Il lui fallait des femmes, n'importe lesquelles, une vie débraillée dans des endroits où il pouvait parler fort et passer pour un costaud, avec, en fin de semaine, un jour ou deux de pêche à la ligne.

— Je crois me souvenir qu'il existe un petit café sur la place de Seineport. Tu t'y arrêteras afin de nous renseigner.

Ils franchirent la Seine à Corbeil, suivirent une route qui longe le fleuve et qui, de l'autre côté, est bordée par des bois. Quatre ou cinq fois, Janvier fit un crochet brusque afin d'éviter des lapins, grommelant chaque fois :

— Va donc, petit idiot !

De temps en temps une lumière pointait dans l'obscurité ; enfin il y en eut tout un groupe, quelques réverbères, et la voiture s'arrêta devant un café où des hommes jouaient aux cartes.

— J'entre aussi ?

— Si tu as envie de boire un verre.

— Pas maintenant.

Maigret, lui, au comptoir, avala un verre d'alcool.

— Vous connaissez Benoît ?

— Celui qui est de la police ?

A Seineport, Benoît n'avait pas cru nécessaire, depuis tant d'années, d'annoncer qu'il ne faisait plus partie de la Sûreté.

— Vous savez où il habite ?

— Vous venez de Corbeil ?

— Oui.

— Vous êtes passé devant chez lui. Vous n'avez pas vu une carrière, à un kilomètre et demi d'ici ?

— Non.

— On ne la remarque pas la nuit. Sa maison est juste en face, de l'autre côté de la route. S'il y est, vous verrez la lumière.

— Je vous remercie.

— Il y est ! fit la voix d'un des joueurs de belote.

— Comment le sais-tu ?

— Parce que, hier, je lui ai servi un gigot.

— Un gigot entier pour lui seul ?

— Faut croire qu'il se soigne.

Quelques minutes plus tard, Janvier, roulant presque au pas, désigna une tache plus claire dans le bois.

— Cela doit être la carrière.

Maigret regarda de l'autre côté de la route et, à une centaine de mètres, au bord du fleuve, aperçut une fenêtre éclairée.

— Tu peux laisser la voiture ici. Viens.

Bien qu'il n'y eût pas de lune, ils découvrirent un sentier envahi par les herbes.

9

LA NUIT DU MINISTERE

ILS marchaient sans bruit, l'un derrière l'autre, et, de la maison, on ne les entendit pas venir. Cette section de la rive, autrefois, avait dû faire partie d'une grande propriété et la bicoque, à l'époque, servait à l'un des gardes-chasse.

On n'en entretenait plus les abords. Une clôture renversée en plusieurs endroits entourait ce qui avait été un potager. Par la fenêtre éclairée, Maigret et Janvier apercevaient les poutres du plafond, des murs blanchis à la chaux, une table devant laquelle deux hommes jouaient aux cartes.

Dans l'obscurité, Janvier regarda Maigret comme pour lui demander ce qu'ils allaient faire.

— Reste ici, lui souffla le commissaire.

Quant à lui, il se dirigea vers la porte. Elle était fermée à clef et il frappa.

— Qu'est-ce que c'est ? fit une voix à l'intérieur.

— Ouvre, Benoît.

Il y eut un silence, des bruits de pas. Janvier, à la fenêtre, pouvait voir l'ancien policier, debout près de la table, hésitant sur la décision à prendre, puis poussant son compagnon dans une pièce voisine :

— Qui est-ce ? demanda Benoît en s'approchant de la porte.

— Maigret.

Un silence encore. Le verrou fut enfin tiré, la porte s'ouvrit. Benoît regarda la silhouette de Maigret d'un œil ahuri.

— Qu'est-ce que vous me voulez ?

— Bavarder un moment. Tu peux venir, Janvier.

Les cartes étaient toujours sur la table.

— Seul ?

Benoît ne répondit pas tout de suite, se doutant que Janvier avait été en faction à la fenêtre.

— Tu faisais peut-être des réussites ?

Janvier annonçait, désignant une porte :

— L'autre est là, patron.

— Je m'en doute. Va le chercher.

Piquemal aurait eu de la peine à s'enfuir, car la porte donnait dans une souillarde sans communication avec le dehors.

— Qu'est-ce que vous me voulez ? Vous avez un mandat ? prononçait Benoît qui s'efforçait de reprendre son sang-froid.

— Non.

— Dans ce cas...

— Dans ce cas, rien du tout ! Assieds-toi. Vous aussi, Piquemal. J'ai horreur de parler à des gens debout.

Il tripota quelques cartes.

— Tu étais en train de lui enseigner la belote à deux ?

C'était probablement vrai. Piquemal était bien l'homme qui n'avait jamais dû toucher une carte de sa vie.

— Tu te mets à table, Benoît ?

— Je n'ai rien à dire.

— Bon. Dans ce cas, c'est moi qui parle.

Il y avait une bouteille de vin sur la table, un seul

verre. Piquemal, qui ne jouait pas aux cartes, ne buvait pas non plus, ne fumait pas. Lui était-il arrivé de coucher avec une femme ? Peut-être pas. Il regardait Maigret d'un air farouche, comme un animal tapi dans son coin.

— Il y a longtemps que tu travailles pour Mascoulin ?

En réalité, Benoît, dans ce cadre-ci, marquait moins mal qu'à Paris, peut-être parce qu'il était davantage à sa place. C'était resté un paysan ; il avait dû être le fier-à-bras de son village qu'il avait eu le tort de quitter pour tenter sa chance à Paris. Ses ruses, ses maquignonnages, c'étaient des ruses et des maquignonnages de paysan à la foire.

Pour se donner de l'assurance, il se versait à boire, ironisait :

— Je ne vous en offre pas ?

— Merci. Mascoulin a besoin de gens comme toi, ne fût-ce que pour vérifier les renseignements qu'il reçoit de tous les côtés.

— Parlez toujours.

— Quand il a reçu la lettre de Piquemal, il a compris que c'était la plus belle opportunité de sa carrière et qu'il avait toutes les chances, s'il jouait bien sa carte, de tenir à sa merci une bonne partie du personnel politique.

— Que vous dites.

— Que je dis !

Maigret était toujours debout. Les mains derrière le dos, la pipe aux dents, il allait et venait de la porte à la cheminée, s'arrêtant parfois devant un des deux hommes, tandis que Janvier, assis sur le coin de la table, écoutait avec attention.

— Ce qui m'a le plus troublé, c'est qu'ayant vu

Piquemal et pouvant se procurer le rapport, il ait envoyé celui-ci au ministre des Travaux Publics.

Benoît sourit d'un air faraud.

— J'ai compris tout à l'heure en apercevant, chez Mascoulin, une machine à photostater. Tu veux que nous reprenions les événements dans l'ordre chronologique, Benoît ? Tu peux toujours m'arrêter si je me trompe.

« Mascoulin reçoit la lettre Piquemal. En homme prudent, il te fait venir et te charge de te renseigner. Tu te rends compte que c'est sérieux, que le bonhomme est en effet bien placé pour se procurer le rapport Calame.

« A ce moment-là, tu dis à Mascoulin que tu connais quelqu'un aux Travaux Publics, le chef de cabinet. Où l'as-tu rencontré ? »

— Cela ne vous regarde pas.

— C'est sans importance. Il nous attend dans mon bureau et nous réglerons ces détails-là tout à l'heure. Fleury est un pauvre type, toujours à court d'argent. Seulement, il a l'avantage d'être admis dans des milieux où un peigne-c... comme toi se voit fermer la porte au nez. Il a dû lui arriver, moyennant quelques billets, de te refiler des tuyaux sur certains de ses amis.

— Allez toujours.

— Maintenant, essaie de comprendre. Si Mascoulin reçoit le rapport des mains de Piquemal, il est pratiquement obligé de le rendre public et de déclencher le scandale, car Piquemal est un honnête homme à sa façon, un fanatique qu'il faudrait tuer pour le faire taire.

« D'apporter le rapport à la Chambre mettrait Mascoulin en vedette pour un certain temps, soit...

« C'est beaucoup moins intéressant que, le gardant par-devers lui, de tenir au bout d'un fil tous ceux que le rapport compromet.

« J'ai mis du temps à y penser. Je ne suis pas assez vicieux pour me mettre dans sa peau.

« Piquemal, donc, se rend chez Mme Calame, où il sait, pour l'y avoir vue jadis, qu'existe une copie du rapport. Il la glisse dans sa serviette et se précipite chez Mascoulin, rue d'Antin.

« Une fois qu'il est là, tu n'as plus besoin de le suivre, car tu sais comment les choses vont se passer, et tu files au ministère des Travaux Publics, où Fleury t'introduit dans son bureau.

« Sous un prétexte quelconque, Mascoulin retient Piquemal pendant que son suave secrétaire photostate le rapport.

« Avec toutes les apparences d'un honnête homme, il envoie ensuite son visiteur porter le document à qui de droit, c'est-à-dire au ministre.

« C'est bien cela ? »

Piquemal regardait Maigret avec intensité, replié sur lui-même, en proie à une violente émotion.

— Tu es là, dans le bureau de Fleury, quand Piquemal remet les papiers. Il ne te reste plus qu'à savoir, par Fleury, où et quand t'en emparer le plus facilement.

« Ainsi, grâce à l'honnête Mascoulin, le rapport Calame aura été mis à la disposition du public.

« Mais, grâce à toi, Auguste Point, le ministre en cause, sera incapable de le présenter à la Chambre.

« Il y aura donc un héros dans l'histoire : Mascoulin.

« Il y aura un vilain, accusé d'avoir détruit le document pour sauver sa mise ainsi que celle de ses collègues compromis : un certain Auguste Point, qui a le tort d'être un honnête homme et d'avoir refusé de serrer des mains sales.

« Pas bête, hein ? »

Benoît se versa un autre verre, qu'il se mit à boire lentement en regardant Maigret d'un air hésitant. Il paraissait, comme à la belote, se demander quelle carte il était dans son intérêt de jouer.

— C'est à peu près tout. Fleury t'a appris que son patron avait emporté le rapport Calame boulevard Pasteur. Tu n'as pas osé y pénétrer la nuit, à cause de la concierge, et, le lendemain matin, tu as attendu que celle-ci aille faire son marché. Mascoulin a brûlé le rapport ?

— Cela ne me regarde pas.

— Qu'il l'ait brûlé ou non, peu importe, puisqu'il possède un photostat. Cela lui suffit pour tenir un certain nombre de gens à sa merci.

Ce fut un tort, Maigret s'en rendit compte par la suite, d'insister sur le pouvoir de Mascoulin. Sans cela, Benoît aurait-il choisi une autre attitude ? Probablement pas, mais c'était une chance à courir.

— La bombe a éclaté, comme prévu. D'autres gens étaient à la recherche du document, pour des raisons diverses, entre autres un certain Tabard, qui a été le premier à se souvenir du rôle de Calame et à y faire allusion dans son journal. Tu connais cette crapule de Tabard, hein ? Lui, ce n'est pas de la puissance qu'il aurait · tirée du rapport, mais de l'argent sonnant.

« Labat, qui travaille pour lui, devait rôder autour de chez Mme Calame.

« A-t-il vu Piquemal en sortir ? Je l'ignore et il est possible que nous ne le sachions jamais. Cela n'a d'ailleurs pas d'importance. Toujours est-il que Labat a envoyé un de ses hommes chez la veuve, puis chez la secrétaire du ministre...

« Vous me faites penser, dans ton milieu, à une bande de crabes grouillant dans un panier.

« D'autres aussi, plus officiellement, se sont demandé ce qui se passait au juste et ont essayé de savoir. »

Il faisait allusion à la rue des Saussaies. Il était naturel que, le président du Conseil une fois averti, une enquête plus ou moins discrète fût faite par les services de la Sûreté.

Après coup, cela devenait presque comique. Trois groupes différents avaient chassé le rapport, chacun pour des raisons déterminées.

— Le point faible, c'était Piquemal, car il était difficile de savoir si, interrogé d'une certaine façon, il ne parlerait pas.

« Est-ce toi qui a eu l'idée de l'amener ici ? Est-ce Mascoulin ? Tu ne réponds pas ? Bon ! Cela ne change rien.

« En tout cas, il s'agissait de le retirer pour quelque temps de la circulation. Je ne sais pas comment tu t'y es pris, ni ce que tu lui as raconté.

« Tu remarqueras que je ne l'interroge pas. Il parlera quand il en aura envie, c'est-à-dire lorsqu'il se sera rendu compte qu'il n'a été qu'un jouet entre les mains de deux crapules, une grande et une petite. »

Piquemal tressaillit, ne dit toujours rien.

— Cette fois, j'ai vidé mon sac. Nous nous trouvons en dehors du département de la Seine comme tu vas sans doute me le faire remarquer, et j'agis sans aucun droit.

Il prit un temps, laissa tomber :

— Passe-lui les menottes, Janvier.

Le premier mouvement de Benoît fut pour résister, et il était deux fois aussi fort que Janvier. A la réflexion, il tendit les poignets en faisant entendre un gloussement.

— Cela va vous coûter cher à tous les deux. Vous remarquerez que je n'ai rien dit.

— Pas un mot. Vous, Piquemal, accompagnez-nous aussi. Bien que vous soyez libre, je suppose que vous n'avez pas l'intention de rester seul ici ?

Ce fut Maigret, une fois dehors, qui fit demi-tour pour éteindre l'électricité.

— Tu as la clef ? questionna-t-il. Il vaut mieux fermer la porte, car il se passera du temps avant que tu reviennes pêcher.

Ils s'entassèrent dans la petite voiture, firent la route en silence.

Quai des Orfèvres, ils trouvèrent Fleury, toujours assis sur sa chaise, qui sursauta en voyant entrer l'ancien inspecteur de la rue des Saussaies.

— Je n'ai pas besoin de vous présenter... grommela Maigret.

Il était onze heures et demie du soir. Les locaux de la P.J. étaient déserts, avec seulement de la lumière dans deux des bureaux.

— Appelle-moi le ministère.

Lapointe s'en chargea.

— Je vous passe le commissaire Maigret.

— Je vous demande pardon de vous déranger, monsieur le ministre. Vous n'étiez pas couché ? Vous êtes avec votre femme et votre fille ?... J'ai des nouvelles, oui... Beaucoup... Demain, vous pourrez révéler à la Chambre le nom de l'homme qui vous a cambriolé boulevard Pasteur et qui a emporté le rapport Calame... Pas tout de suite, non... Peut-être dans une heure, peut-être dans deux... Si vous préférez m'attendre... Je ne vous garantis pas que cela ne durera pas toute la nuit...

Cela dura trois heures. C'était maintenant du travail familier à Maigret et à ses hommes. Ils restèrent longtemps tous ensemble dans le bureau du commissaire, avec Maigret qui parlait en s'arrêtant parfois devant l'un, parfois devant l'autre.

— Comme vous voudrez, mes enfants... J'ai tout le temps. Prends-en un, Janvier... Celui-ci, tiens...

Il désignait Piquemal, qui n'avait toujours pas desserré les dents.

— Toi, Lapointe, occupe-toi de M. Fleury.

Dans chaque bureau, il y eut ainsi deux hommes en tête à tête : l'un qui questionnait, l'autre qui s'efforçait de se taire.

C'était une question d'endurance. Parfois Lapointe, ou Janvier, apparaissait dans l'encadrement de la porte, adressait un signe au commissaire qui le rejoignait dans le couloir. Ils parlaient bas.

— J'ai trois témoins, au minimum, pour confirmer mon histoire, annonçait Maigret à Benoît. Entre autres, et c'est important, une locataire du boulevard Pasteur qui t'a vu pénétrer dans l'appartement de Point. Tu te tais toujours ?

Benoît finit par avoir un mot qui le dépeignait tout entier.

— Qu'est-ce que vous feriez à ma place ?

— Si j'étais assez canaille pour être à ta place, je mangerais le morceau.

— Non.

— Pourquoi ?

— Vous le savez bien.

Pas contre Mascoulin ! Celui-ci, Benoît ne l'ignorait pas, arriverait toujours à tirer son épingle du jeu,
et Dieu sait ce qu'il adviendrait de son complice.

— N'oubliez pas que c'est lui qui a le rapport.

— Alors ?

— Alors rien. Je la ferme. On me condamnera
pour avoir cambriolé l'appartement du boulevard
Pasteur. Cela va chercher combien ?

— Dans les deux ans.

— Quant à Piquemal, il m'a suivi de son plein gré.
Je n'ai pas usé de menace. Je ne l'ai donc pas
enlevé.

Maigret comprit qu'il n'en tirerait rien d'autre.

— Tu avoues que tu es allé boulevard Pasteur ?

— Je l'avouerai si je ne peux pas faire autrement.
C'est tout.

Quelques minutes plus tard, il lui fut impossible de
faire autrement. Fleury s'était effondré et Lapointe
venait en avertir son chef.

— Il ne savait rien de Mascoulin, ignorait, jusqu'à
ce soir, pour le compte de qui Benoît travaillait. Il
n'a pas pu refuser d'aider celui-ci à cause de certaines affaires qu'il a faites autrefois avec lui.

— Tu lui as fait signer une déposition ?

— Je m'en occupe.

Si Piquemal était un idéaliste, c'était un idéaliste
qui avait mal tourné. Il continuait en effet à se taire.
Comptait-il ainsi obtenir quelque chose de Mascoulin ?

A trois heures et demie, Maigret, laissant Janvier
et Lapointe avec les trois hommes, se faisait conduire
en taxi boulevard Saint-Germain, où il y avait de la
lumière au second étage. Point avait donné des ordres
pour qu'on le conduise immédiatement à son appartement.

Maigret trouva la famille dans le petit salon où il avait déjà été reçu.

Auguste Point, sa femme et sa fille tournaient vers lui des yeux fatigués qui n'osaient pas encore briller d'espoir.

— Vous avez le document ?

— Non. Mais l'homme qui l'a volé boulevard Pasteur est dans mon bureau et a avoué.

— Qui est-ce ?

— Un ancien policier dévoyé qui travaille pour le compte des uns et des autres.

— Pour qui travaillait-il cette fois-ci ?

— Mascoulin.

— Alors... commença Point dont le front s'était rembruni.

— Mascoulin ne dira rien, se contentera, quand le besoin s'en fera sentir, de faire pression sur ceux qui sont compromis. Il laissera condamner Benoît. Quant à Fleury...

— Fleury ?

Maigret fit oui de la tête.

— C'est un pauvre type. Il se trouvait dans une position telle qu'il ne pouvait pas refuser.

— Je te l'avais dit, intervint Mme Point.

— Je sais. Je ne le croyais pas.

— Tu n'es pas fait pour la vie politique. Quand tout cela sera fini, j'espère que tu...

— Le principal, disait Maigret, c'est d'établir que vous n'avez pas détruit le rapport Calame et qu'il vous a été volé comme vous l'avez annoncé.

— On le croira ?

— Benoît avouera.

— Il dira pour le compte de qui ?

— Non.

— Fleury non plus ?

— Fleury ne le savait pas.

De sorte que...

On venait de lui enlever un poids de sur la poitrine, mais il ne parvenait pas à se réjouir.

Maigret, certes, avait sauvé sa réputation. Point n'en avait pas moins perdu la partie.

A moins qu'au dernier moment, ce qui était improbable, Benoît se décide à tout dire, le vrai gagnant restait Mascoulin.

Celui-ci le savait si bien, avant même que Maigret arrive au bout de son enquête, qu'il avait fait exprès de lui montrer la machine à photostater. C'était un avertissement. Cela signifiait en quelque sorte :

— Avis aux intéressés !

Tous ceux qui avaient quelque chose à craindre de la publication du rapport, qu'il s'agisse d'Arthur Nicoud, toujours à Bruxelles, d'hommes politiques ou de qui que ce fût, tous savaient désormais que Mascoulin n'avait qu'un geste à faire pour les déshonorer et ruiner leur carrière.

Il y eut un long silence, dans le salon, et Maigret n'était pas tellement fier de lui.

— Dans quelques mois, quand tout cela sera oublié, je démissionnerai et retournerai à La Roche-sur-Yon, murmura Point en fixant le tapis.

— C'est promis ? s'écria sa femme.

— C'est juré.

Elle parvenait à se réjouir sans arrière-pensée, parce que, pour elle, son mari comptait plus que tout au monde.

— Je peux téléphoner à Alain ? demandait Anne-Marie.

— A cette heure-ci ?

— Tu ne penses pas que cela vaut la peine de le réveiller ?

— Si tu crois...

Elle non plus ne devait pas se rendre tout à fait compte.

— Vous boirez bien quelque chose ? murmura Point en lançant un coup d'œil comme timide à Maigret.

Leurs regards se croisèrent. Une fois encore, le commissaire eut l'impression d'avoir en face de lui quelqu'un qui lui ressemblait comme un frère. Tous les deux avaient le même regard lourd et triste, la même voussure des épaules.

Le verre d'alcool n'était qu'un prétexte à s'asseoir un moment, l'un devant l'autre. La jeune fille téléphonait.

— Oui... Tout est fini... Il ne faut pas encore en parler... On doit laisser à papa le soin de leur faire la surprise, à la tribune...

Qu'est-ce que les deux hommes auraient pu se dire ?

— A votre santé !

— A la vôtre, monsieur le ministre.

Mme Point avait quitté la pièce. Anne-Marie ne tarda pas à aller la rejoindre.

— Je vais me coucher, murmura Maigret en se levant. Vous en avez encore plus besoin que moi.

Point lui tendit la main, gauchement, comme si ce n'était pas un geste banal mais l'expression d'un sentiment dont il avait la pudeur.

— Merci, Maigret.

— J'ai fait ce que j'ai pu...

— Oui...

Ils marchaient vers la porte.

— Au fait, j'ai refusé de lui serrer la main, moi aussi...

Enfin, une fois sur le palier, au moment de tourner le dos à son hôte :

— Il finira bien, un jour, par se casser le nez...

FIN

Le 23 Août 1954

*Achevé d'imprimer en octobre 1986
sur les presses de l'Imprimerie Bussière
à Saint-Amand (Cher)*

— N° d'édit. 734. — N° d'imp. 2640. —
Dépôt légal : 3ᵉ trimestre 1972.
Imprimé en France